U ŹRÓDEŁ
ZDROWIA

NIKOŁAJ SZERSTIENNIKOW

U ŹRÓDEŁ ZDROWIA

Atlas samopomocy –
energetyczne sposoby odnowy organizmu

Wydawnictwo KOS
KATOWICE 2010

Tytuł oryginału:
ATLAS SAMOPOMOCY. Энергетические практики восстановления организма
Tłumaczenie z języka rosyjskiego: **Alina Skoneczna**
Projekt okładki: **Aleksandra Ciesielczyk, Marek Ciesielczyk**
Korekta: **Wydawnictwo KOS**
Typografia i łamanie: **Ryszard Liebich, Wydawnictwo KOS**

ISBN 978-83-7649-017-5

Wydawnictwo KOS
ul. Agnieszki 13
40-110 Katowice
tel./faks (32) 258-40-45, (32) 258-27-20, (32) 254-02-73
tel. (32) 258-26-48
e-mail: kos@kos.com.pl
http://www.kos.com.pl

Druk:
Zakład Poligrafii – Alicja Genowska

SPIS TREŚCI

WSTĘP

Głównym zadaniem tej książki jest opisanie sposobów i metod samopomocy, które pomogą szybko odbudować zdrowie, polepszyć samopoczucie oraz umożliwią efektywną pomoc sobie i bliskim.

Wiele osób sądzi, że u podstaw metod samouzdrawiania i samopomocy leży oddziaływanie na określone punkty czy strefy. Niestety, same tylko tego typu zabiegi nie doprowadzą do całkowitego wyzdrowienia. Możliwa będzie likwidacja symptomów chorobowych czy nadmiernego napięcia, jednak nie nastąpi jednoczesne uwolnienie się od chorób, wydobycie się z bagna złego samopoczucia i kiepskiego nastroju.

Gdy zaczniemy stosować metody samopomocy, poczujemy poprawę. Pojawi się złudne odczucie, że niemoc czy dolegliwość została pokonana i że można już zakończyć uzdrawiające praktyki. Jednak korzenie chorób pozostają. A to właśnie te korzenie powinniśmy usuwać w pierwszej kolejności. W przeciwnym razie choroba znajdzie słabe miejsce w organizmie i znowu się uaktywni. Wtedy walka z nią będzie o tyle trudniejsza, że wypróbowane i stosowane dotąd z powodzeniem metody staną się mało efektywne. Trzeba będzie opanować nowe praktyki...

Gdzie tkwią przyczyny chorób? Odpowiedź jest oczywista – w nieprawidłowym sposobie życia, w negatywnych emocjach doświadczanych przez nas codziennie. Przyjęcie do wiadomości faktu, że życie jest nieprawidłowo zorganizowane, że jest w nim zbyt wiele negatywów, na pewno nie spowoduje pozbycia się chorób, ale da szansę na zrozumienie.

Jeżeli denerwujemy się z powodu sytuacji, której nie jesteśmy w stanie zmienić, to nasze reakcje szkodzą przede wszystkim nam. Nie apeluję do Czytelników, by pogodzili się z sytuacją! Przyjęcie aktywnej postawy życiowej – to jeden z warunków dobrego zdrowia. Taka postawa jest przecież jednym z warunków wysokiej aktywności poszukiwawczej określającej potencjał zdrowia człowieka. Nie warto jednak popadać w skrajności i obwiniać siebie o wszystko. Każdy z nas dźwiga swój bagaż, a dokładanie sobie dodatkowego obciążenia jest nie tylko nierozumne, ale i brzemienne w skutki. Bowiem w naszym życiu jest jak w przysłowiu: „Na pochyłe drzewo wszystkie kozy skaczą".

Opanowanie przedstawionych w książce metod samopomocy umożliwi osiągnięcie poczucia wielkiej radości, niematerialnego szczęścia. W książce opisano pradawne metody, które pomogą wznieść się na wyżyny osobistego rozwoju, nauczą kierowania sobą, swoim zdrowiem i pomyślnością. We współczesnym świecie jest to nadzwyczaj ważne, bowiem istniejące metody terapii są skuteczne w ostrych stanach chorobowych, gdy potrzebna jest natychmiastowa pomoc. Natomiast w przypadku chorób chronicznych lub rozwijających się przez dłuższy czas niekonwencjonalne sposoby uzdrawiania mogą okazać się bardziej efektywne.

Idzie głównie o to, że sposoby i metody samodzielnej pracy energetycznej pomagają aktywizować wszystkie siły obronne organizmu. Wykorzystując je, każdy może uwolnić się od drobnych niedomagań, przeciwdziałać stresowi, kierować swoim nastrojem i samopoczuciem. Ważne jest, by nie korzystać z tych metod sporadycznie, od przypadku do przypadku. Trzeba stosować je regularnie i stale. A przede wszystkim – nie należy poprzestawać po osiągnięciu pierwszych rezultatów. Nawet dobre samopoczucie jest tylko swego rodzaju wstępem do całkowitego wyzdrowienia. Pomoc w zbliżeniu się do osiągnięcia doskonałego zdrowia z jednoczesnym nieodżegnywaniem się od realnego życia – to zadanie niniejszej książki. Za pomocą opisanych metod każdy może osiągnąć poziom rzeczywistego zdrowia, odkryć w sobie nieoczekiwane możliwości i zdolności, które przekształcą zwykłą codzienność w lśniące tysiącem kolorów święto oddziaływania z Najwyższym. To osobisty wybór każdego z nas.

Proces samodoskonalenia nie ma granic, jest nieskończony. Pokonanie kompleksów i przekroczenie wewnętrznych psychologicznych barier umożliwi osiągnięcie szczytów osobistego rozwoju – a wtedy człowiek, spoglądając na otaczający go świat, dostrzeże nowe horyzonty. Jednakże – powtórzę raz jeszcze – każdy sam decyduje o tym, co zrobi... Sposoby i praktyki przedstawione w tej książce pomogą zlikwidować dolegliwości funkcjonalne, złagodzić objawy chorób chronicznych, nauczą pokonywać stres i inne życiowe nieprzyjemności, kłopoty, minimalizując ich niekorzystny wpływ na nasze zdrowie fizyczne i psychiczne.

Nauka Wielkiej Tradycji Północy, pokonując bariery zapomnienia, rozpowszechniła się wśród ludzi gotowych przyjąć pradawną mądrość. Prostota, efektywność i dostępność pradawnych metod wyróżnia je spośród wielu zagranicznych nauk pyszniących się na naszej ziemi. Należy podkreślić, że praktyki Tradycji najbardziej odpowiadają naszym głębokim wibracyjnym charakterystykom, są łatwe do wykonania i pomogą wszystkim szczerze zainteresowanym – nie gorzej niż wschodnie czy południowoamerykańskie sposoby uzdrawiania. Najważniejsze jednak, że uzdrawianie metodami Wielkiej Tradycji Północy pozbawione jest niepotrzebnych rytuałów i obrzędów, ponieważ jego głównym celem jest pomoc w zrozumieniu, że Prawda tkwi nie w rytuałach, ale w osobistej twórczości w imię Najwyższego.

TRZECIA DROGA

Medycyna ludowa posiada tysiącletnie doświadczenie. Sposoby i metody, którymi wiejscy znachorzy leczyli chorych, na pierwszy rzut oka są łatwe, naiwne i śmiesznie prymitywne. Lekarz zajmujący się określoną chorobą, w celu zastosowania efektywnego środka w walce z nią, powinien jasno wyobrazić sobie wpływ choroby na organizm, musi znać złożony obraz reakcji biochemicznych. Od znachora nie jest to wymagane. Wypędza on chorobę i tworzy bariery ochronne za pomocą metafizycznych sposobów oddziaływania. Czasami ludowi uzdrawiacze leczyli różne choroby jednakowymi metodami, ale nie z powodu ubogiego warsztatu uzdrawiacza. Odbudowywali oni, odnawiali wewnętrzną jednolitość, całość organizmu. A to z powodzeniem umożliwiało blokadę różnych chorób.

Medycyna europejska leczy za pomocą lekarstw i procedur fizjoterapeutycznych. Medycyna Wschodu rozpatruje człowieka jako energetyczną całość, a przyczynę chorób upatruje w zakłóceniu swobodnego przepływu energii życiowej w kanałach i meridianach. Trzecia droga jest inna – stosując określone sposoby i metody, uzdrawiacz oddziałuje na tzw. „wewnętrzną wodę", która albo pozwala chorobie się rozprzestrzeniać, albo tworzy wokół niej bariery niemożliwe do sforsowania. Na pierwszy rzut oka „wewnętrzna woda" jest efemeryczna i nie ma jakiejś konkretnej postaci. Ludzie przywykli do myśli, że potencjał zdrowia można uformować za pomocą hartowania organizmu, dzięki ćwiczeniom czy przestrzeganiu zdrowego stylu życia.

Według mnie trzecia droga leży w odkryciu nowych możliwości, w uzyskaniu nawyków samozdrowienia i pomocy innym. Każdy może odblokować tajemną wewnętrzną przestrzeń, którą zamieszkuje uniwersalny prapoczątek zdrowia, swego rodzaju „eliksir nieśmiertelności".

Jednakże zanim go odnajdziemy, musimy nabyć siłę, wiedzę, stworzyć solidne podstawy rozwoju. Metody zaproponowane w książce pomogą w opanowaniu praktyk uzdrawiających będących częścią pradawnego doświadczenia Wielkiej Tradycji Północy.

U ŹRÓDEŁ ZDROWIA

Zdrowie jest bezcennym darem, danym nam wraz z życiem. Jeśli jednak będziemy rozpatrywać życie w kategorii dogadzania ciału, zdrowie szybko ulegnie pogorszeniu. Ciało posiada wielkie wewnętrzne możliwości samorozwoju i samodoskonalenia. I to powoduje, że jest najdoskonalszym narzędziem poznania świata. Gdy człowiek nastawiony jest na poszukiwania, badania, doskonali ciało i zachowuje potencjał zdrowia. Jednakże gdy człowiek (a więc i jego ciało) unika twórczego rozwoju, poddaje się inercji, gasi w sobie aktywność poszukiwawczą, wtedy niewykorzystywane funkcje ulegają atrofii. A przed chorobami otwiera się furtka. Dlatego jednym z ważniejszych elementów samopomocy jest odkrycie osobistego twórczego potencjału, dążenie do poszukiwań zawsze i we wszystkim.

W celu odbudowy utraconego zdrowia należy przede wszystkim odpowiedzieć na dwa ważne pytania:

1. Co określa poziom naszego zdrowia, jaka jest jego zależność od aktywności poszukiwawczej?
2. Jak wykorzystać ukryte możliwości ciała do podtrzymania zdrowia i uzyskania stanu życiowej równowagi?

Współczesna koncepcja psychiki podpowiada, że za złożonością struktur świadomości i podświadomości stoi wspólny początek. Na razie badacze nie potrafią jeszcze do niego dotrzeć. Można już jednak odkryć określone prawidłowości.

Jeśli człowiek w swych działaniach kieruje się pożądaniem, wściekłością, zawziętością, gniewem, chucią, chciwością lub innymi negatywnymi uczuciami, to negatyw emocji nie przyniesie żadnych duchowych pożytków. Natomiast jeśli postępowaniem człowieka kieruje szczera chęć polepszenia czyjegoś stanu, pomocy w pokonaniu przeszkód życiowych, a jego działania przynoszą radość, powodzenie na pewno stanie się jego udziałem. Zdrowie – to życie bez chorób. Wątpliwe jest, by szczęście zdrowia wypełniło człowieka, w którego duszy króluje gniew, zawiść czy pożądanie.

Jaki jest związek między wewnętrzną harmonią a zdrowiem? Bezpośredni. Osobę niedobrą, złośliwą, zjadliwą w każdej chwili może dotknąć zapalenie pęcherzyka żółciowego. Istnieje takie określenie: „W tym człowieku jest wiele żółci". Odpowiada ono realiom fizjologicznym. Nadmiar żółci wywołuje fale złego nastroju. A to powoduje zastój żółci, pogorszenie samopoczucia i zwiększenie rozdrażnienia. Spirala negatywów rozkręca się – zwój za zwojem...

Obserwacje uczonych i doświadczenie życiowe pokazują, że ten, kto żyje z radością w sercu, znacznie rzadziej choruje. Ma podwyższony poziom endorfin – wewnętrznego eliksiru szczęścia. Szczera radość – to jeden z kluczy otwierających głębinowe „źródła zdrowia".

EMOCJE I ZDROWIE

Negatywne emocje są bardzo zróżnicowane, towarzyszą człowiekowi codzienne i w każdej chwili mogą zepchnąć go w przepaść negatywnych przeżyć. Trudno wyrwać się z takich lepkich objęć. Każdy narząd wewnętrzny ma swego energetycznego sobowtóra leżącego z tyłu i nieco z prawej strony w stosunku do samego narządu. Narządy wewnętrzne są związane ze sobą oddziaływaniami fizjologicznymi i układem energoregulujących związków podświadomości. Poprzez głębokie struktury podświadomości fizjologia kontaktuje się z psychiką. Negatywne emocje mają ogromny negatywny wpływ na zdrowie człowieka. Każdy wewnętrzny narząd, układ organizmu jest narażony na skutki negatywnych przeżyć.

Weźmy np. pod lupę przerażenie. To reakcja psychiczna wpływająca na fizjologiczny stan organizmu. A zmiana procesów fizjologicznych powoduje przygnębienie, a nawet depresję.

Te wyjaśnienia są potrzebne, aby zrozumieć jedno – negatywne emocje niszczą naturalną energetyczną ochronę narządu wewnętrznego. Nagłe pojawienie się negatywnego psychicznego impulsu zmusza konkretny narząd do pracy w przeciążeniu, do straty znacznej części siły energetycznego sobowtóra. Obniżenie dopływu odżywczej siły obniża poziom funkcjonowania samego narządu, a wtedy zaczynają się zakłócenia w jego pracy.

Poniżej przytaczam schemat powiązań negatywnych stanów emocjonalnych i zachorowań narządów wewnętrznych.

Emocja	Narząd	Wpływ
Obraza, poczucie krzywdy	Nerki	Jeśli chowamy urazy, obrażamy się, można z całym przekonaniem stwierdzić, że mamy problemy z nerkami. Jeśli poczucie krzywdy, jakie żywimy w stosunku do innych, jest bezzasadne lub wyolbrzymione, mogą tworzyć się torbiele, cysty lub mięśniaki. Niebezpieczne dla nerek są także łakomstwo i żarłoczność. Aby strawić ogromną ilość jedzenia, trzeba zużyć dużo energii i tę właśnie żołądek pożycza od nerek. Gadulstwo i plotkowanie także wymagają dużej ilości energii, która konfiskowana jest nerkom.
Podwyższona drażliwość, wybuchowość, gniew, wściekłość, nienawiść, zrzucanie winy na innych	Śledziona, wątroba, woreczek żółciowy	Znane jest powiedzenie: „Trzyma kamień za pazuchą". Odnosi się ono do człowieka, który zataił złość i tylko czeka na okazję, by znienacka uderzyć i boleśnie zranić. Tacy ludzie są podatni na powstawanie kamieni w narządach. Jeśli człowiek nie zna miary i pielęgnuje negatywne emocje, które szaleją, mącą w głowie, mówimy, że „przegina pałę", a wtedy może dojść do chorób woreczka żółciowego.
Brak miłości i wiary, zarozumiałość, chełpliwość, próżność, złośliwość, zawiść, zazdrość, smutek i tęsknota	Choroby serca	Te emocje mogą prowadzić do wady serca, zaś kradzież idei i myśli, plagiat, kompilacja – do powstania arytmii.
Pycha i zarozumiałość, egoizm, zatracanie się w świecie iluzji, w mrzonkach, obrażanie się na los, życie, na otaczających nas ludzi i sytuacje, stałe rozdrażnienie, dążenie do „słodkiego, miłego życia"	Choroby układu wewnątrz-wydzielniczego	Takie emocje przygniatają nadnercza. Strach (poczynając od niewiary w Boga), zgubnie wpływa na podwzgórze. Pojawiają się zaburzenia w pracy trzustki lub jej zapalenie, cukrzyca.

Emocja	Narząd	Wpływ
Zarozumiałość, skrywana pycha, eksponowanie swojego *ego*, samowola, upór	Płuca	Astma, bronchit. Obojętność, stany depresyjne utrudniające pracę płuc
Uprzedzenia w stosunku do ludzi oraz efekt sytuacji, w której człowiek musi znosić nawet krótkotrwałe towarzystwo nielubianej osoby	Żołądek	Żarłoczność, nieżyt żołądka, a także złe trawienie pokarmu itd.
Złe postępowanie, złe myśli i zamiary oraz chęć wcielenia ich w czyn	Jelita	Do zaparć prowadzić może przede wszystkim chciwość, natomiast potępianie innych ludzi – do biegunki.
Lubieżne zamiary, grzeszne namiętności, tajone życzenia, niestandardowe potrzeby seksualne	Narządy płciowe	Zaburzenia w pracy narządów płciowych świadczą o problemach seksualnych. U mężczyzn może dojść do choroby gruczołu krokowego (prostaty); u kobiet – do zmian ginekologicznych, do powstania łagodnych nowotworów.

Oczywiście schemat ten opisuje najbardziej prawdopodobne zakłócenia w pracy narządów wewnętrznych, spowodowane negatywnymi emocjami. W każdym konkretnym przypadku mogą pojawić się jakieś specyficzne cechy, gdyż nie ma identycznych ludzi, każdy z nas jest inny. Schemat ten wyjaśnia jednak ogólne tendencje, należy podejść do niego indywidualnie, samodzielnie go analizując.

Oprócz opisanych zaburzeń w pracy narządów wewnętrznych istnieją jeszcze odczucia. Na przykład człowiek **niebogaty**, niemający ani pieniędzy, ani widoków na przyszłość, stale czuje słabość w plecach – ma wrażenie pustki, jakby stał plecami do otwartych drzwi. Świadczy to o braku ochrony, osobistego zaplecza, pewności siebie.

Człowiek **niezorganizowany, zabiegany** doświadcza zmian chorobowych w kolanach. Cierpiący na **niemoc płciową, bezsilność** doświadcza uczucia pustki w krzyżu i karku. Ktoś **niezaspokojony seksualnie,** odczuwający stały popęd, czuje lekki ból w okolicy krzyża i karku, ma skaczące ciśnienie i zaburzenia w pracy naczyń krwionośnych.

Schemat wzajemnego oddziaływania emocji i fizycznych dolegliwości pomoże każdemu odkryć dominujący stan będący przyczyną schorzeń narządów wewnętrznych. Powtarzam jednak: przytoczono tu przykładowy schemat, a indywidualne szczegóły każdy może określić sam.

TRENING ZMYSŁÓW

N arządy zmysłów pracują w wąskim zakresie swych możliwości, z niewielkim zestawem przeżyć. Nasza świadomość praktycznie nie rejestruje codziennego tła dźwięków, zapachów, odczuć dotykowych i smakowych. W celu osiągnięcia duchowej równowagi należy nauczyć się je rozróżniać. Pierwszy krok w trenowaniu zmysłów polega na tym, by nauczyć się rozdzielać informacje na: węchowe, smakowe, dotykowe, wzrokowe i słuchowe. Kolejno należy koncentrować uwagę na jednym kanale czuciowo-informacyjnym. Teraz proszę zamknąć oczy, usta i skoncentrować uwagę na słuchu. Na co dzień słyszymy ogólne dźwiękowe tło i z przyzwyczajenia wyławiamy wszystkie dźwięki, które nas bezpośrednio dotyczą lub interesują. Na pozostałe dźwięki – tło dźwiękowe, nie zwracamy uwagi. W celach treningowych należy wsłuchać się właśnie w całe tło dźwiękowe. Najpierw wyławiamy wszystkie znane i zrozumiałe dźwięki, potem, co kilka sekund, dodajemy nowe.

Wyjaśnię to na przykładzie: siedzimy w pokoju, w którym gra radio, tyka zegar, zza ściany słychać sąsiadów, w rurach szumi woda, z kranu w kuchni rytmicznie kapie. Z tej różnorodności dźwięków ucho wyłapuje to, czym jesteśmy najbardziej świadomie zainteresowani. Wszystkie pozostałe zlewają się w tło i przez narząd słuchu praktycznie nie są wyodrębniane. W trakcie treningu trzeba będzie najpierw usłyszeć oddzielnie każdy dźwięk ogólnego tła, a potem posłuchać ich razem, zlanych w jedno tło. Najpierw kilka sekund słuchamy radia, potem dodajemy dźwięki sąsiadów, kilka sekund później dokładamy dźwięk tykającego zegara... Kilka sekund – i już słyszymy szum wody w rurach, a potem kapiącą z kranu wodę... Prawie tak samo można trenować węch. Najpierw bierzemy pod uwagę ogólne tło zapachowe pomieszczenia, później wyróżniamy najsilniejsze zapachy. Wąchamy dalej. Stopniowo spomiędzy silnych, wyraźnych zapachów wyłaniają się bardziej delikatne, a silniejsze zapachy schodzą jakby na dalszy plan. Odczuwamy już bardziej delikatne zapachy.

Po kilku dniach takiego treningu można poczuć zapachy obiadu w sąsiednim mieszkaniu. A zapachy naszego mieszkania wydadzą się nam ogromnym, tajemniczym światem, o którym wcześniej nie mieliśmy pojęcia, gdyż nie zwracaliśmy na niego uwagi.

Trening dotyku także polega na przenoszeniu uwagi z bardziej silnych doznań na słabsze. Silne wrażenie dotykowe to np. ból od uderzenia; słabsze – głaskanie ręki; jeszcze delikatniejsze – muśnięcie skóry przez wietrzyk. Najbardziej delikatne, ale w pełni odczuwane – to dotknięcie wzrokiem. Czy rzeczywiście można poczuć czyjeś spojrzenie? Tak, i trening pomoże tego wyraźnie doświadczyć.

Trening wzroku polega na swobodnej zmianie głębokości ostrości widzenia, objętości oglądanej przestrzeni. Oto przykład: rozmawiamy z kimś i jesteśmy tak zaabsorbowani rozmową, że niczego wokół nie zauważamy. Koncentrujemy uwagę na rozmówcy, a głębokość ostrości widzenia jest niewielka, ponieważ obejmuje rozmówcę i to, co zachodzi w jego bezpośredniej bliskości. Wytrenowane spojrzenie odnotowuje setki oddalonych szczegółów, detali znajdujących się po bokach i obok.

Spójrzcie na przedmiot znajdujący się przed wami. Uważnie się mu przypatrzcie, żeby stworzyć sobie jego wyraźny obraz. Potem znowu popatrzcie na przedmiot, ale tym razem roztargnionym wzrokiem: niech wasza uwaga skoncentruje się na planie bocznym i dalszym.

Potem przenieście wzrok na obserwowany przedmiot, który macie przed sobą i odnotujcie zmiany zachodzące na dalszym planie i planach bocznych. Patrzycie na kwiatek. Najpierw – widok ogólny, potem detale: płatki, łodyga, pręciki w kielichu, pełznący owad na listku... A teraz zbadajcie strukturę dalszego tła. To soczysta zieleń krzewów. Między nimi i kwiatkiem – kałuża. W niej kolorowa piłeczka. Widzicie plan dalszy i przestaliście zwracać uwagę na kwiatek. A teraz postarajcie się zobaczyć jednocześnie i kwiatek, i dalszy plan. Śledźcie każdą zmianę. Gdy uda się zarejestrować jednocześnie plan bliższy i dalszy, skoncentrujcie uwagę na planach bocznych. Jednym słowem, trening dostępny jest dla każdego, wystarczy tylko uwierzyć w możliwości swego wzroku.

Aby wytrenować smak, postarajcie się rozróżnić składniki, z których złożona jest potrawa. Podstawą treningu jest uwaga poświęcona swoim odczuciom. Ważne jest nauczenie się słuchania wewnętrznych przeżyć – trzeba postrzegać je nie jako tło ogólne, ale rozdzielać na części składowe.

NAUKA ODCZUWANIA SIEBIE

Wytrenowane narządy zmysłów potrafią wychwytywać delikatne zmiany zachodzące w otoczeniu człowieka. Jednocześnie jednak wewnętrzne przeżycia mogą pozostać niezauważone. Dla skutecznej samopomocy ważna jest umiejętność koncentracji uwagi na swoich odczuciach, tworzenie ich i kierowanie nimi. Trening narządów zmysłów opisany w poprzednim rozdziale znacznie rozszerza zakres percepcji, sprzyja rozwojowi wewnętrznej wrażliwości. Jednak trudno byłoby bez specjalnego treningu konotować subtelne stany wewnętrzne. Poniżej omówimy metody nauki wewnętrznego odczuwania siebie.

Jeśli czujemy, że z naszym wnętrzem jest coś nie w porządku, wtedy ból czy poczucie dyskomfortu mimowolnie przyciągają uwagę. Słabe odczucia dyskomfortu pojawiają się na długo przed chorobą. Ale my nie zwracamy na nie uwagi... A przecież wtedy samopomoc może powstrzymać chorobę, zażegnać ją. Potrzebne jest wypracowane DOŚWIADCZENIE w odbiorze własnych subtelnych odczuć.

Czas na trening. Weźcie ołówek, zaostrzony patyk lub coś w tym rodzaju. Naciśnijcie ostrym końcem skórę dłoni. Poczujecie wyraźny ból... A teraz leciutko dotknijcie skóry samym końcem przedmiotu. Dotyk jest ledwo zauważalny, ale odczuwalny.

Uporczywie wpatrujcie się w dłoń. Wasz wzrok dotyka skóry, a to powoduje delikatne odczucie – trudne do prześledzenia, ale możliwe. Flamastrem narysujcie wewnątrz dłoni koło i skoncentrujcie spojrzenie wewnątrz rysunku. Najpierw nic nie odczujecie, stopniowo jednak pojawi się delikatne, ledwo zauważalne odczucie dotyku skóry.

Następny krok: połóżcie ręce na brzuchu i „słuchajcie", jak ciepło płynące od nich rozlewa się po skórze, przenika do wnętrza jamy brzusznej. Ciepło w brzuchu sprzyja koncentracji uwagi na tym obszarze. Teraz umieśćcie ręce nad skórą brzucha w obszarze prawego podżebrza. Powtórzę: ręce nie dotykają skóry, są od niej oddalone o 5–10 cm. Ciepło rąk przenika do wnętrza brzucha. Nie rozchodzi się jednak w całej jego objętości, ale koncentruje się w lokalnym obszarze prawego podżebrza – w strefie wątroby.

Przenieście ręce w okolice pępka i tak samo ułóżcie je w pewnej odległości od ciała. Najpierw ciepło będzie odczuwalne na powierzchni, potem przeniknie do wnętrza i oto już w środku brzucha powstaje lokalny obszar ciepła. To jelito odpowiedziało na nasz cieplny dotyk.

Ręka leży na stole, a wy uważnie wsłuchujecie się w odczucia. Najpierw odcinkami: od ramienia do łokcia, od łokcia do nadgarstka, a później na całej długości – od ramienia do czubków palców. Ważna jest koncentracja, nie przenoście uwagi na nic innego.

Odczucia płynące z różnych części ręki będą się od siebie różnić. Nie jest łatwo oddać te różnice słowami.

Przenieście uwagę na wnętrze tkanek. Do tego nie potrzeba jakichś szczególnych działań. Należy powiedzieć w myśli: „Chcę poczuć mięśnie... lub kości... lub skórę...". Takie życzenie wystarczy, żeby nasza uwaga skoncentrowała się na mięśniach, kościach lub skórze... Gdy skupicie uwagę na lokalnych odczuciach tkanek, uważnie słuchajcie tych odczuć. Jeśli na skórze są jakieś zadrapania, będzie to skutkować czymś nieprzyjemnym w waszych odczuciach. Coś podobnego poczujecie także wtedy, gdy w tkankach mięśni lub kości są jakieś zakłócenia, nieprawidłowości.

Doświadczenie odczuwania tkanek jest potrzebne, żeby móc później wyłapać odczucia narządów wewnętrznych, układów lub kanałów energetycznych i meridianów.

Doświadczenie subtelnych odczuć jest gromadzone i utrwalane w pamięci podświadomości. Gdy tylko pojawi się konieczność odczucia swego stanu, będzie to możliwe bez zbędnego wysiłku.

Należy jeszcze dodać, że umiejętność odczuwania siebie otwiera ogromne możliwości. Najpierw czucie siebie obejmuje tylko fizjologiczne odczucia, później odkrywa się przed nami warstwa bardziej subtelnych stanów. Staje się np. możliwe odczuwanie energetycznych strumieni. Stopniowo pojawia się możliwość odczuwania i zrozumienia subtelnych stanów innych ludzi, ich zamysłów i przeżyć. W odpowiedniej chwili będziemy mogli prawidłowo zrozumieć sygnały informacyjne i dokonać właściwego wyboru!

GRUPY CHORÓB

Umownie choroby można podzielić na kilka dużych grup:
1. Choroby przewodu pokarmowego.
2. Choroby układu krążenia.
3. Choroby układu nerwowego.
4. Choroby układu kostno-stawowego.
5. Choroby układu moczowo-płciowego.

To przybliżona i umowna klasyfikacja, ale jest ona bardzo ważna dla osobistej praktyki. Nie istnieją pojedyncze, oddzielne choroby. Dolegliwość, która dotyka narząd lub układ, zawsze odbija się na całym organizmie, zakłóca jego jednolitość, bilans energetyczny, pogłębia ogólny stan braku zdrowia...

Dlatego konieczne jest opanowanie praktyk samooddziaływania – nie tylko tych niezbędnych przy konkretnych zachorowaniach, nie tylko tych odnoszących się do konkretnych chorób. Trzeba jeszcze usuwać, spowodowane dolegliwościami, lokalne zakłócenia energetyczne, psychologiczne i fizjologiczne.

ANATOMIA ENERGETYCZNA

Kanały rąk

Bardzo efektywnym sposobem szybkiej regeneracji bilansu energetycznego organizmu jest wykorzystanie magistrali kanałów rąk i nóg. Uaktywniają je specjalne ćwiczenia. Opuszki palców wskazującego, środkowego i serdecznego jednej ręki ułóżcie na środku drugiej ręki. Powolnymi kolistymi ruchami w kierunku zgodnym z ruchem wskazówek zegara masujcie tkanki pośrodku dłoni. Pojawi się odczucie pustki pod skórą. Będzie to otwór wejściowy kanału ręki.

Wyciągnijcie rękę poziomo w bok. Zróbcie powolny wdech i wyobraźcie sobie, że wciągacie powietrze przez otwór kanału. Druga ręka towarzyszy ruchowi wdechu w ręce od nadgarstka do ramienia. W ręce pojawi się odczucie rurki, w której wraz z oddechem porusza się strumień energii. To samo ćwiczenie należy powtórzyć z drugą ręką. Potem opuśćcie ręce i powoli zróbcie wydech przez kanały. Powstanie uczucie, że ręka, wraz z wydechem, wydłuża się.

Analogiczne energetyczne kanały istnieją w nogach. Dla ich aktywacji najlepiej wykorzystać oddech. Stojąc na wyprostowanych nogach, powoli nabierzcie powietrza i wyobraźcie sobie, że wdech wędruje w górę nogami, aż do brzucha.

Podnieście dłonie do góry i zwróćcie dłonie ku niebu. Zróbcie wdech i wyobraźcie sobie, że wciągacie energię i przez kanały, niczym przez gumowy wąż, płynie fala siły. Dociera do ramion, przenika przez tułów i wypełnia przestrzeń brzucha.

Potem wraz z oddechem przez kanały nóg przeciwny strumień skierujcie do brzucha. Tam zmieszają się fale energii z rąk i nóg. Pojawi się odczucie lekkiego rozpierania (**rys. 1**).

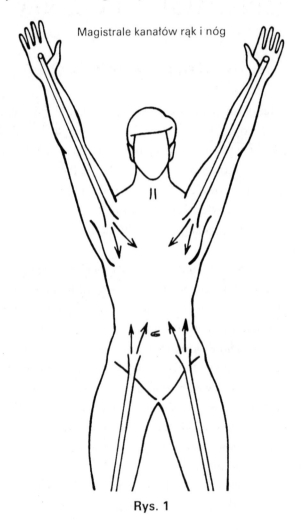

Magistrale kanałów rąk i nóg

Rys. 1

Za pomocą magistrali kanałów rąk i nóg można szybko odbudować utracone siły organizmu, podwyższyć życiowy nastrój, stan psychiczny. Czasem wystarczy tylko uzupełnić energetyczny bilans organizmu przez kanały rąk i nóg, by zlikwidować ostre objawy choroby. Może na przykład powstać uczucie słabości w sercu, pustki w piersi. Nasz „motor" zaczyna pracować nieregularnie, pojawia się arytmia. Można oczywiście tradycyjnie przyjąć jakieś lekarstwo stymulujące pracę serca lub po prostu położyć pod język tabletkę walidolu. Ale można też podnieść ręce do nieba, wysiłkiem woli otworzyć kanały i zacząć wypełniać ciało strumieniami energii. Wkrótce zniknie dyskomfort w piersi, serce zacznie pracować rytmicznie i pewnie.

„Kotły" i „umysły"

Stan ciała fizycznego zależy od reakcji emocjonalnych, panujących warunków, spadku sił życiowych, nadruchliwości itp. Ludzie wprowadzają zmiany w otaczającym ich świecie dla własnej wygody, komfortu. Jednakże osiągnięcia technologiczne pozbawiają człowieka wielu możliwości zapewniających przeżycie w naturalnym środowisku zamieszkania.

Ukierunkowana systematyczna praca nad aktywizacją paranormalnych zdolności umożliwi nagromadzenie znacznego potencjału siły życiowej i polepszy jakość życia. Praktyki pracy ze strukturami energetycznymi pomogą osiągnąć zdrowie.

Głównymi energosiłowymi skupiskami w organizmie są **kotły siły** (**rys. 2a, 2b**).

U góry leży **kocioł rozumu** (**rys. 3**).

Przestrzeń klatki piersiowej zajmuje **kocioł miłości**. Są w nim dwie **świątynie**. Z prawej strony – **świątynia woli**, z lewej – **świątynia miłości** (**rys. 4**).

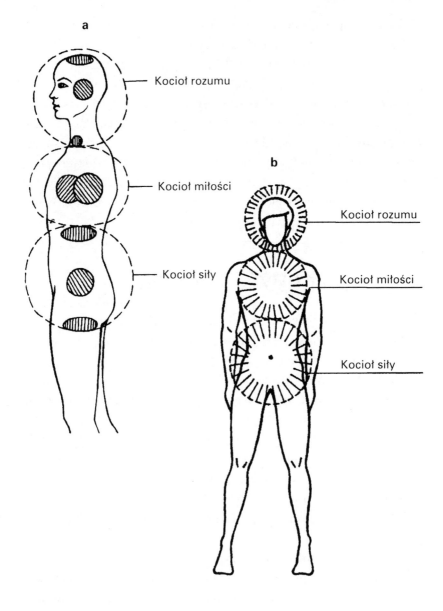

Rys. 2

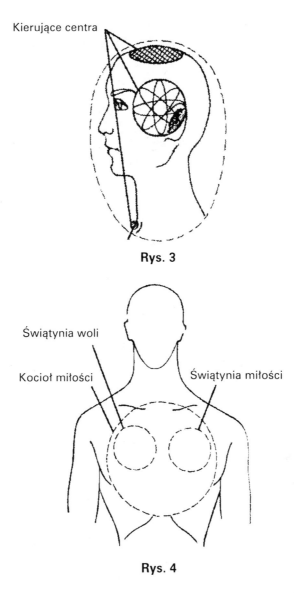

Rys. 3

Rys. 4

Przestrzeń od splotu słonecznego do miednicy zajmuje **kocioł siły** (**rys. 5**).

31

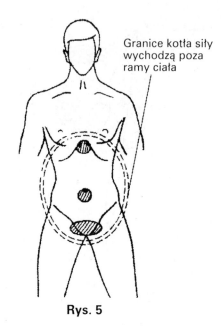

Granice kotła siły wychodzą poza ramy ciała

Rys. 5

Kotły siły są szczególnymi strukturami energetycznymi pomagającymi wykorzystać potencjał wewnętrznej energii w celu wyzdrowienia i podtrzymania wysokiego życiowego nastroju, stanu psychicznego.

Każdy **kocioł** posiada swój **umysł**, który służy m.in. do energetycznego doładowania „kotłów siły".

„Umysły" topograficznie odpowiadają „kotłom siły" i nazywają się podobnie: **umysł mądrości, umysł miłości, umysł siły.**

Na powierzchni ciała „umysły" można sobie wyobrazić jako delikatne poziome i pionowe obszary na plecach i potylicy.

Stwórzcie mentalną projekcję splotu słonecznego na plecy i w strefie tej projekcji przeprowadźcie prostopadłą do kręgosłupa poziomą linię. To miejsce „umysłu siły" (**rys. 6**).

Strefę położenia „umysłu miłości" na powierzchni ciała można wyznaczyć, jeśli mentalnie połączymy poziomą linią wewnętrzne kąty łopatek (**rys. 7**).

„Umysł mądrości" kieruje górnym „kotłem rozumu". Jest pionową linią biegnącą od potylicy do siódmego kręgu szyjnego (to niewielki wzgórek w miejscu, w którym szyja łączy się z plecami) **(rys. 8)**.

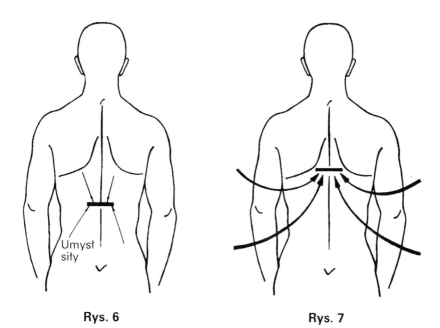

Rys. 6   Rys. 7

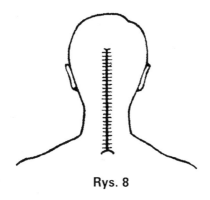

Rys. 8

Wypełnienie „kotłów"

P rzywrócenie wewnętrznego komfortowego stanu zależy bezpośrednio od energetycznego napełnienia „kotłów". Działanie to wymaga wysokiej wrażliwości i umiejętności przeżywania wyobrażanych stanów. Nawyk subtelnych odczuć pomoże odczuć stany stworzone przez obrazy mentalne.

Potrzyjcie obszary „umysłów" i zapamiętajcie miejsce ich położenia na plecach i na potylicy. Wyobraźcie sobie, jak do obszaru „umysłu" przenika energia. Wydaje się być powiewem ożywczego delikatnego wietrzyka. Powstaje odczucie, że „umysł" jest pokryty strupem i nie przepuszcza energii. Są to niskie, przyziemne emocje i przeżycia, które do tej pory towarzyszyły wam w życiu. Stopniowo „strup" ulega rozpuszczeniu, a szczelina „umysłu" wchłania energię, jak wyschnięta gąbka wodę.

Kiedy już „umysł" napełni się energią, rozchyli się nieco, niczym usta w uśmiechu. Powstanie szczelina, przez którą w przestrzeń „kotła" wleje się strumień energii. „Kocioł" wypełni się siłą, a w obszarze ciała, w którym leży, pojawi się odczucie lekkiego rozpierania.

Po pierwszym napełnieniu „kotła" mogą pojawić się lekkie mdłości i chęć ziewania. Jest to normalna reakcja organizmu na przyjście energii z zewnątrz. Regularne wypełnianie „kotłów" poprawi samopoczucie, w ciele pojawi się rześkość, gotowość do działania. Nastrój będzie bardziej słoneczny i radosny... Wypełnianie „kotłów siły" podwyższa siły życiowe. Pomaga odzyskać zdrowie, zapewnia emocjonalną stabilność.

W ciągu całego życia w „kotłach siły" gromadzi się wiele różnych psychologicznych odpadów. Przekształcają się one w zagęszczenia informacyjne – skrzepy, które hamują pracę wewnętrznej energetyki i w rezultacie mogą wywołać chorobę. Aby wypełnić „kotły siły" świeżą energią, należy uwolnić je od wieloletniego energetycznego brudu.

Wyobraźcie sobie, że w „kotłach" wiruje sworzeń – rdzeń i ściąga na siebie brud, psychologiczne odpady. Przyklejają się one do rdzenia i powstaje odczucie, że rdzeń nawinął na siebie kłębki wewnętrznego brudu. Jeśli cały wewnętrzny brud przywarł do rdzenia, to w „kotłach" pojawi się lekkość i odczucie czystości. Teraz wystarczy podskoczyć i mocno uderzyć nogami o podłogę. W wyniku uderzenia rdzeń wraz z przylepionym do niego brudem wypadnie z ciała na dół. W ten sposób można uwolnić się od wieloletniego energetycznego obciążenia. Odczujecie lekkość, jakbyście zrzucili z siebie balast, z którym przyszło wam żyć wiele lat. Tę czynność należy powtarzać kilkakrotnie, ponieważ za jednym zamachem nie można się pozbyć tak wielkiego brzemienia.

Zagarbia

Wzajemne oddziaływanie kotłów siły między sobą zapewniają szczególnego rodzaju struktury, zwane „torebkami plecowymi, mieszkami plecowymi" lub „zagarbiami". Leżą po obu stronach kręgosłupa, zajmując przestrzeń od łopatek do pasa lędźwiowo-krzyżowego (rys. 9).

Unieście ręce w górę, **nadgarstki rąk wyprostowane – w celu zapewnienia swobodnego ruchu energii**. Na nadgarstkach znajdują się subtelne kanały energetyczne, tzw. „łożyska". Zróbcie powolny wdech i wyobraźcie sobie, że strumień energii poprzez nadgarstki przenika do wnętrza i płynie w rękach. Energia wdechu przechodzi przez ramiona, między kręgosłupem i wewnętrzną granicą łopatek, po czym wlewa się do przestrzeni „mieszków plecowych" (rys. 10).

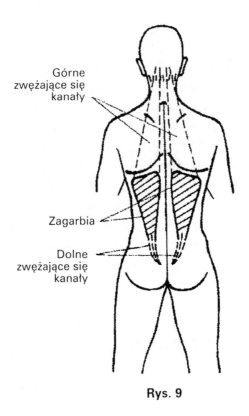

Górne
zwężające się
kanały

Zagarbia

Dolne
zwężające się
kanały

Rys. 9

W życiu codziennym „zagarbia" czujemy bardzo wyraźnie wtedy, gdy zaczynamy chorować. Nieprzyjemne ciągnące odczucia poniżej łopatek wskazują na to, że owe mieszki plecowe są puste, odporność słabnie, a organizm pogrąża się w chorobie. Można zatrzymać rozwój dolegliwości, podładowując „zagarbia". Ćwiczenia oddechowe pomogą napełnić te struktury. Aktywizacja „zagarbi" wzmacnia energetykę ciała, tworzy za plecami poduszkę energetyczną. „Kotły siły" i „zagarbia" razem tworzą energoinformacyjną otoczkę wokół ciała. Systematyczna praca z tymi układami zaowocuje wewnętrznym komfortem, psychologiczną i fizjologiczną pewną stabilizacją, wytrzymałością.

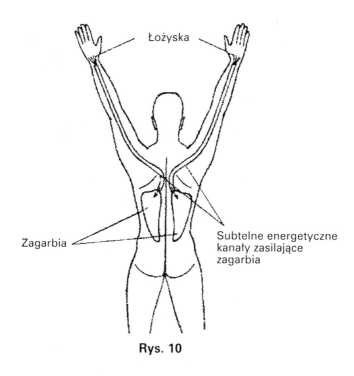

Rys. 10

Centrum lecznicze

S trumieniami energii przez kanały rąk i nóg napełnijcie punkt – ostrze wyrostka mieczykowatego mostka (splot słoneczny). W tym punkcie rozpala się ognik podobny do błyszczącej świetlnej kuli **(rys. 11)**. Za pomocą strumieni kanałów rąk i nóg ładujcie go aż do uczucia lekkiego rozpierania. Wtedy ułóżcie dłonie – jedną w obszarze splotu słonecznego, drugą w miejscu dokładnej projekcji pierwszej, na plecach. Mentalnie skierujcie światło od dłoni w głąb ciała i gdy je tam odczujecie, zdecydowanie, mocno przyciśnijcie dłonie do ciała, jakbyście chcieli połączyć je w brzuchu. Ten impuls da

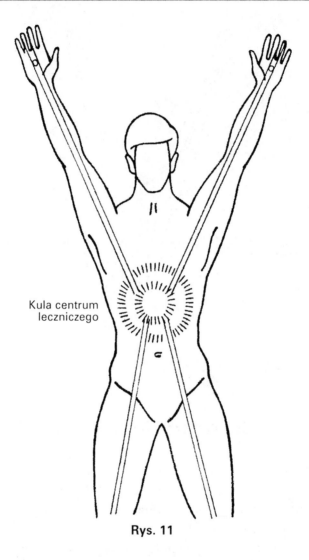

Kula centrum
leczniczego

Rys. 11

siłę „centrum leczniczemu" – zaktywizuje je. W ten sposób „centrum"
zostaje włączone do pracy.

Zobrazuję to przykładem. Poczuliście ból głowy. Usytuowany jest
w jakimś punkcie bądź strefie. Wyobraźcie sobie, że promień energii

ze splotu słonecznego naświetla punkt bólu. Najczęściej ból w naszej wyobraźni wygląda jak nieforemny, ciemny twór – skrzep. Promień energii dotyka skrzepu bólu i wypala go. Nieforemny, ciemny twór zmienia się w ciemny dym, a potem – w szarą parę i ostatecznie znika (**rys. 12**).

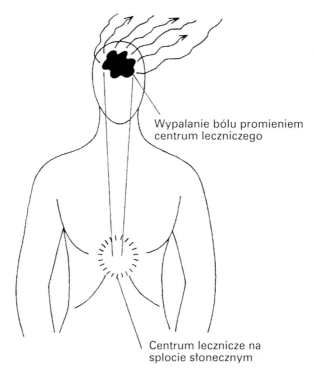

Wypalanie bólu promieniem centrum leczniczego

Centrum lecznicze na splocie słonecznym

Rys. 12

Za pomocą centrum leczniczego można walczyć z różnymi przejawami chorób oraz drobnymi dolegliwościami. Ważne jest stworzenie mentalnego obrazu i odczucie działania promienia.

Światowa energia

W zajemne oddziaływania z rozproszoną wokół nas energią są nieodzowne dla zwiększenia sił życiowych i polepszenia stanu psychicznego, życiowej równowagi. Są niezbędne po to, by umiejętnie radzić sobie z życiowymi trudnościami oraz by cieszyć się zdrowiem.

Istnieją minimum cztery warianty wzajemnego oddziaływania ze światowym strumieniem energetycznym. Kryterium podziału stanowi stopień uczestnictwa człowieka w procesie przepływu światowej energii.

Pierwszy: jestem nieruchomy, a wokół mnie płynie strumień energii.

Drugi: płynę razem ze strumieniem energii.

Trzeci: jestem pierwszą, wciąż biegnącą do horyzontu falą energii, za którą płynie cała siła światowego potoku.

Czwarty: jestem rzeką energii; odczuwam siebie całą światową przestrzenią wypełnioną strumieniem energii; jestem z przodu i z tyłu, z prawej i lewej; jestem wszędzie; płynę – obierając potrzebny kierunek...

Wariant pierwszy: rozluźnijcie się, odprężcie i wyobraźcie sobie, że w wasze plecy wieje silny ciepły wiatr, a wy dajecie mu możliwość przeniknięcia przez siebie, kierując przy tym jego siłą i kierunkiem.

Wariant drugi: wraz z wiatrem energetycznym poruszacie się w wybranym kierunku. Ten wariant jest szczególnie korzystny podczas mentalnego kontaktu telefonicznego lub kontaktu z ludźmi przebywającymi bardzo daleko od nas.

Trzeci wariant: potężny wiatr energetyczny wieje nam w plecy, przenika do naszego wnętrza, wnika w ręce i do powierzchni ciała z przodu. Kierujecie jego strumieniem.

Czwarty wariant: świat wokół was płynie, porusza się w wybranym kierunku. Oczywiste jest, że świat materialny pozostaje na miejscu, a przemieszcza się energia, którą jest przesiąknięty.

Strumień światowej energii porusza się jednocześnie we wszystkich kierunkach. W istocie jednak znajduje się w stanie chaotycznej równowagi. Umiejętność uporządkowania ruchu strumienia wysiłkiem woli otwiera przed człowiekiem ogromne możliwości. Sposób na utworzenie ukierunkowanego ruchu jest bardzo prosty. Wyobraźcie sobie przeszkodę, która stojąc przed wami, hamuje wasz ruch, a strumień płynie swobodnie. Wtedy strumień zacznie opływać was od strony pleców do przodu. Jeśli wyobrazicie sobie, że taka przeszkoda stoi z tyłu, strumień energii będzie płynął w waszym kierunku, opływając was z przodu. W ten sam sposób możecie wyobrażać sobie przeszkody z boków, z góry czy z dołu. Jeśli wyobrazicie sobie, że przeszkoda otacza was ze wszystkich stron niczym kula, to strumień zacznie płynąć ze wszystkich stron jednocześnie i bardzo szybko wypełni ciało ładunkiem energetycznym (rys. 13).

Strumień energii można wykorzystać w charakterze uzdrawiającego narzędzia w celu pomocy naszym bliskim. Mentalnie postawcie przeszkodę za plecami osoby, której chcecie pomóc. Przez tę oso-. bę popłynie strumień energii. Za pomocą strumienia rozmywacie ogniska chorób, dolegliwości, a wtedy samopoczucie partnera poprawia się.

Wyobraźcie sobie wiatr wiejący w plecy. Wysiłkiem myśli ściśnijcie ten strumień energii będący przed wami w stożek. Przy waszym ciele znajduje się jego szeroka część, a w oddaleniu od niego strumień zwęża się i przekształca w wierzchołek stożka (rys. 14). Przenikacie wierzchołkiem stożka w strefę chorobową. Powiewy strumienia – każda struga – są niczym wrażliwe przewody, przekazując stan chorego narządu czy miejsca.

Teraz słów kilka o wykorzystaniu energii do kontaktu na odległość. Podam przykład. Zadzwonił telefon i ktoś skarży się na złe samopoczucie. Prosi o pomoc. Słuchawka telefoniczna przytknięta do ucha jest symbolem kontaktu. Wyobrażamy sobie swojego rozmówcę, jed-

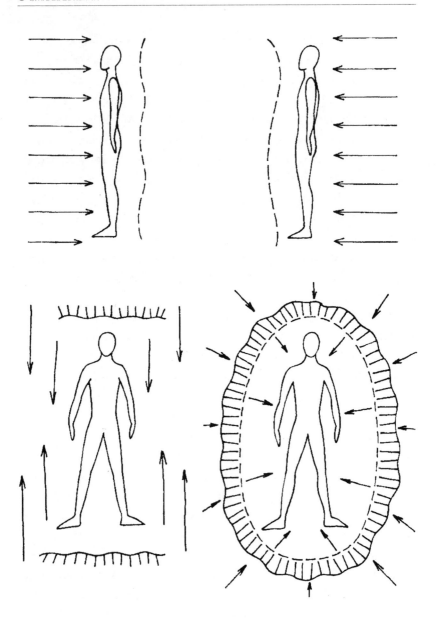

Rys. 13

Oddziaływanie na człowieka   Wiatr siły

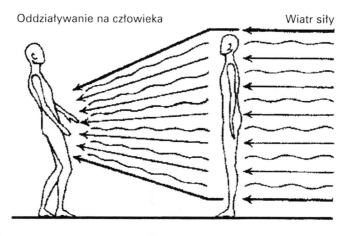

Rys. 14

nak nie jak realnego człowieka. Jest on dla nas wirtualnym gęstym tworem, skrzepem, abstrakcyjnym obrazem. Kierujemy na ten obraz jeden z wariantów strumienia. Człowiek, do którego go wysłaliśmy, otrzyma niezbędny energetyczny impuls.

„Struna wewnętrznego napięcia"

Określmy oś wewnętrznego napięcia. Na czubku głowy i w dole, na kroczu leżą punkty, między którymi rozpięta jest „struna wewnętrznego napięcia". Jej napięciem i osłabieniem kierują emocje zrodzone z nieświadomych reakcji psychiki. Dowolne życiowe zdarzenie przekłada się na szczególne drgania tej struktury. Samopomoc polega na umiejętnym świadomym oddziaływaniu na stopień napięcia i osłabienia wewnętrznej osi. Gdy chcemy się uspokoić, strunę należy rozluźnić. Ale strunę można też napiąć – tak jak tę na gitarze. Sprzyja to jednak nerwowości.

Głaskanie struny za pomocą mentalnego dotyku pomoże ukoić nerwy i zlikwidować nadmierne napięcie. Głaskanie odpowiednich odcinków „struny" rozluźni odpowiadające im narządy wewnętrzne.

Napięcie „struny" wzmocni i uaktywni psychiczny potencjał, podniesie nastrój.

Kierowanie „struną wewnętrznego napięcia" spowoduje szybką likwidację napięcia psychicznego (**rys. 15**).

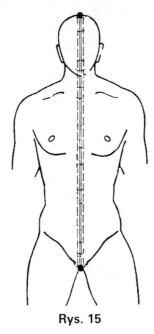

Rys. 15

Słup hormonalny

Hormony w naszym organizmie pełnią nadzwyczaj ważną funkcję. Inicjują rozmaite procesy fizjologiczne i biochemiczne, zapewniają równowagę energetyczną i emocjonalną, przedłużają młodość lub też powodują szybkie starzenie się.

Narządy układu wewnątrzwydzielniczego usytuowane są w pionie w stosunku do „struny wewnętrznego napięcia", na odcinku od głowy do krocza. Układ hormonalny organizmu obejmuje przysadkę, tarczycę i gruczoły przytarczyczne, nadnercza, trzustkę i przydatki u kobiet. U mężczyzn w dole znajdują się prostata i jądra. Narządy układu wewnątrzwydzielniczego rozmieszczone są w ciele w taki sposób, że odpowiadają im różne odcinki „struny". Psychoenergetyczne projekcje narządów hormonalnych na oś nazwano słupem hormonalnym. Można wyobrazić sobie następujący model: „struna wewnętrznego napięcia" jest pionowo naciągnięta od czubka głowy do krocza; projekcja narządów układu wewnątrzwydzielniczego położona jest wokoło niej, to jakby otoczka „struny". Otrzymujemy więc konstrukcję pionową, której rdzeniem jest „struna", a zewnętrzną powłokę stanowią projekcje energoinformacyjne narządów hormonalnych (**rys. 16**).

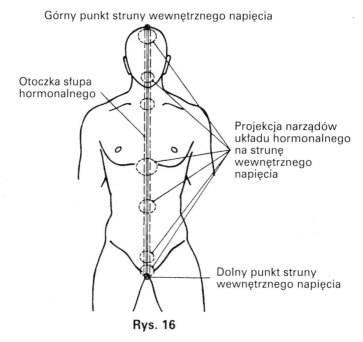

Górny punkt struny wewnętrznego napięcia

Otoczka słupa hormonalnego

Projekcja narządów układu hormonalnego na strunę wewnętrznego napięcia

Dolny punkt struny wewnętrznego napięcia

Rys. 16

W celu odbudowy prawidłowej działalności „słupa" należy wykorzystać oddech. Trzeba nastroić się na „strunę wewnętrznego napięcia", poczuć ją. Zróbcie powolny wdech i wyobraźcie sobie, jak płynie po „strunie", wzdłuż niej, z dołu – od czubka głowy na dół – do krocza. Gdy wdech osiągnie krocze, powoli zróbcie wydech w dół. Następnie znowu zróbcie wdech, wyobrażając sobie, że energia wdechu unosi się do czubka głowy. Pod wpływem wdechów „struna" przekształca się w kanał energetyczny.

Zakłócenia funkcjonalne w pracy narządów układu wewnątrzwydzielniczego są odczuwane jako dyskomfort na określonym odcinku „słupa". Może to być odczucie pustki lub rozpierania albo po prostu odczucie niedostatku.

Skoncentrujcie uwagę na „słupie hormonalnym" i mentalnymi rękami ugniećcie punkty górny i dolny: na czubku głowy i w okolicy krocza. W taki sposób obszary te zostaną już oczyszczone z energetycznego brudu. Zróbcie wdech, wyobrażając sobie, że do „słupa" z góry i od dołu wlewa się energia oddechu. Utrzymujcie uwagę na słupie hormonalnym. Z każdym wdechem jego stan ulega zmianie. Oddechy należy powtarzać tak długo, dopóki uczucia dyskomfortu nie zastąpi spokojna równowaga. Jest to czasochłonne, nie można jednak przerywać ćwiczenia, ponieważ „hormonalny słup" może się rozstroić, co zaostrzyłoby już istniejące problemy.

Ogólna harmonia hormonalnego bilansu organizmu powoduje aktywizację genu młodości, staje się bodźcem do uruchomienia programu ogólnego uzdrowienia i odmłodzenia organizmu.

WEWNĘTRZNA WODA

Nośnik życia

K ażdy z nas w 80 procentach składa się z wody. Przejście wody w przyrodzie z jednego stanu skupienia w drugi ma znaczny wpływ na fizyczny i psychiczny stan człowieka. Lekarze dobrze znają zjawisko sezonowych zaostrzeń choroby. Wschód za pierwotną przyczynę wszystkich chorób uważa zakłócenie w organizmie cyrkulacji energii chi – synonimu „wewnętrznej wody".

Znane są cztery stany „wewnętrznej wody" współgrające z czterema okresami wieku życia człowieka.

1. **„Niespokojne źródło".** „Wewnętrzna woda", bardzo aktywna, znajduje się w ciągłym ruchu, wypełnia każdą komórkę ciała. Zjawisko „niespokojnego źródła" przejawia się w aktywnym poznawaniu świata. Malca przyciągają zabronione miejsca, które odbiera jako tajemne sprawy dorosłego życia. Inaczej być nie może, przecież w dziecku kipi wprost siła „niespokojnego źródła".

2. **„Wielka rzeka".** Płynie równo, spokojnie, a na jej drodze nie ma przeszkód zdolnych powstrzymać jej ruch. Moc niepohamowanego ruchu zapewnia wysoki poziom energetyczny, dążenie do zrozumienia świata, pragnienie poruszania się w wybranym kierunku i osiągnięcia szczytów. To czas dojrzałości. Prąd „wielkiej rzeki" zmywa choroby. Współcześni młodzi ludzie nieświadomie kierują energię „wielkiej wody" na rozwój kariery, osiągnięcie szczytów profesjonalnego mistrzostwa.

3. **„Cicha zatoka"** lub „stojąca woda" („głębia"). To początek wieku podeszłego. W przeszłość odchodzi aktywny ruch „wewnętrznej wody". Teraz miłe sercu są cisza i spokój, które nie zakłócają „cichej zatoki". „Wewnętrzna woda" jest jeszcze świeża, ale wraz z upływem lat staje się coraz bardziej powolna i spokojna. Na jej powierzchnię już spadają żółte zwiędnięte liście, a sama woda staje się chłodna i „delikatna".

U ludzi w średnim i u progu podeszłego wieku dążenie do spokoju dominuje nad innymi stanami. „Wewnętrzna woda" zamiera w „cichej zatoce" i zaczynają się choroby – najpierw ostrożnie, potem, w miarę upływu lat, przejawiają się aktywniej. To wynik zastoju „wewnętrznej wody".

4. **„Gnijące błoto"**. Starość. Zastała „wewnętrzna woda" tęchnie. Znacznemu obniżeniu ulega aktywność poszukiwawcza, gaśnie zainteresowanie aktywnym życiem, objawia się cały wachlarz chorób. Człowiek zamyka się w sobie i po prostu dożywa końca swoich dni. Jest to stan charakterystyczny dla większości starych ludzi. Czy naprawdę jednak nie można tego uniknąć? I czy w ogóle możliwy jest powrót „wewnętrznej wody" do aktywnego ruchu „wielkiej rzeki"?

Odrodzenie się ruchu „wewnętrznej wody" prowadzi do szybkiej poprawy stanu wewnętrznego i zewnętrznego. Kosmetyczny efekt jest możliwy – bez udziału skalpela. W zamierzchłych czasach za normalne uważano dożycie do stanu **„cichej zatoki"**, a potem zmianę tego stanu „wewnętrznej wody" na **„wielką rzekę"**. Przedłużeniu ulegał aktywny okres życia, a starość odsuwała się na wiele lat. Jednak wraz z jej nadejściem człowiek mógł kierować „wewnętrzną wodą". Starość była wiekiem mądrości, czasem wychowania młodzieży, mentorstwa.

Praktyka pracy z „wewnętrzną wodą" może wydawać się niezwykle prosta i łatwa, a nawet prymitywna. Nie wyciągajcie jednak pochopnych wniosków. W kanonach Tradycji istnieje takie powiedzenie: **Siły życia szukaj w prostocie, nie kombinuj z kłamliwymi układami"**.

Ważne jest zrozumienie – jednorazowe zastosowanie metody nic nie przyniesie. Pożądany rezultat można osiągnąć jedynie dzięki systematycznemu i regularnemu powtarzaniu ćwiczeń.

Zasady wpływu

N a początku należy przyswoić sobie dwie główne zasady leżące u podstaw kierowania „wewnętrzną wodą".

Pierwsza – **„Otworzyć wrota"**.

Druga – **„Roztopić lód"**.

Wyjaśnię wszystko na przykładzie. Żeby zmusić „wewnętrzną wodę" do aktywnego ruchu w ciele, należy oddziaływać na określone punkty. Jednakże najpierw trzeba koniecznie rozluźnić odległe punkty otwierające kanały odpływu „wewnętrznej wody", a potem przejść do centralnych, które zamykają wodę i wywołują zastój.

Ludzie w starszym wieku często mają zastoje w głowie i w szyi. Podwyższa się ciśnienie, może dojść do zakłóceń obiegu krwi w mózgu, pogarsza się ogólne samopoczucie itp. Aby uwolnić się od zjawiska zastojów w głowie, należy zlikwidować skurcze mięśni ramion i tylnego obszaru szyi. Podczas rozluźniania punktów wpływu na „wewnętrzną wodę" pojawia się odczucie uwolnienia, lekkości i spokoju. Wraz z systematycznym rozluźnianiem tych punktów stan spokoju umocni się, utrwali i można będzie stale w nim przebywać.

Kręgi „wewnętrznej wody"

P unkty wpływu na „wewnętrzną wodę" rozmieszczone są na powierzchni ciała w trzech kręgach: górnym, środkowym (piersiowym) i dolnym.

Pierwsza grupa punktów leży na ramionach i szyi (**rys. 17**). Przypomnijcie sobie: należy „otworzyć wrota". Oznacza to, że najpierw trzeba rozluźnić oddalone punkty, a potem stopniowo przechodzić do tych położonych na szyi i głowie. Oddziaływanie na punkty zaczynamy od położonych na środkowej linii ramion, obok kostnych wzgórków utworzonych przez połączenie obojczyków i stawów ramion. Jeśli się przyjrzymy środkowej linii ramienia w stronę szyi, obok kostnych wzgórków zauważymy niewielkie wgłębienia. Przyłóżcie do nich opuszki środkowych palców i wyobraźcie sobie, że pod palcami taje „lód" węzła napięcia. Na tym polega istota drugiej zasady: „roztopić lód". Trzymajcie palce na punktach – wkrótce poczujecie, jak zagłębiają się w mięsień.

Powoli przesuńcie opuszki środkowych palców po mięśniu trapezoidalnym – poczujecie, że gdzieś w połowie odległości między kostnymi wzgórkami i podstawą szyi palce jakby zaczepiają o niewidoczną przeszkodę. Tu jest właśnie następna grupa punktów. Połóżcie na

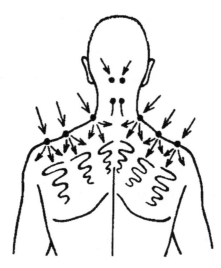

Rys. 17

nie środkowe palce i czekajcie, aż pod nimi „roztopi się lód", a one same zagłębią się w mięśnie. Wyobrażone działanie rozluźnia węzeł napięcia.

Następne punkty leżą po prawej i lewej stronie podstawy szyi. Metoda oddziaływania jest taka sama: przyłóżcie opuszki środkowych palców i wyobraźcie sobie, jak pod nimi taje „lód".

Gdy już punkty u podstawy szyi będą rozluźnione, znajdźcie analogiczne punkty po obu stronach kostnego wzgórka siódmego kręgu szyjnego (kostny wzgórek na kręgosłupie u podstawy szyi). Metoda rozluźnienia opisana jest powyżej.

Pochylcie głowę do przodu. Mięśnie szyi napinają się. Przeciągnijcie po nich opuszkami środkowych palców od podstawy czaszki do siódmego kręgu szyjnego. W strefach skurczów mięśniowych na szyi poczujecie, że palce natykają się na obszary napięcia. Palce należy przykładać lekko – wtedy bezbłędnie określicie punkty napięć.

Przyłóżcie do nich opuszki środkowych palców i wyobraźcie sobie topnienie lodu – palce powoli zanurzają się w rozluźniony mięsień.

Ostatnia para punktów leży w miejscu połączenia szyi z głową. Przesuwajcie palce po kręgosłupie, od siódmego kręgu szyjnego do góry, ku podstawie czaszki i wyczujcie punkty napięcia po obu stronach od linii kręgosłupa. Lekkie przyłożenie palców do nich spowoduje odczucie, że pod palcami taje napięcie, a same palce powoli zagłębiają się w punkty...

Następny krok w aktywizacji ruchu „wewnętrznej wody" – to stymulacja kręgu środkowego (piersiowego). W tym celu należy rozluźnić punkty razem z punktami pierwszego kręgu pobudzające pracę narządów i układów w głowie, piersi i brzuchu.

Pierwsze punkty leżą pod obojczykami, gdzieś w środku odległości między wgłębieniem międzyobojczykowym (obszar tarczycy) a połączeniem obojczyków ze stawami ramiennymi (**rys. 18**). Znajdźcie opuszkami środkowych palców wgłębienia pod obojczykami, ułóżcie

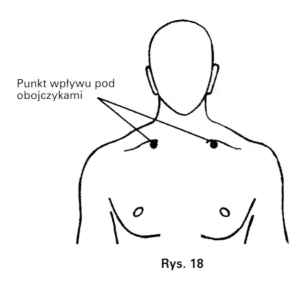

Punkt wpływu pod
obojczykami

Rys. 18

je na punktach i wyobraźcie sobie, jak taje lód węzłów napięcia wewnętrznego. Punkty rozluźniają się, a palce powoli w nich toną.

Następny punkt kręgu środkowego znajduje się na wyrostku mieczykowatym mostka, popularnie zwanym splotem słonecznym. Dłonie obu rąk z dokładnie ściśniętymi palcami ustawiamy w taki sposób, by opuszka środkowego palca jednej ręki była lekko przyciśnięta do wyrostka mieczykowatego mostka (splotu słonecznego). Środkowy palec drugiej ręki utrwala punkt projekcji splotu słonecznego na kręgosłup. Jest to jednak możliwe tylko w przypadku pracy z partnerem. Podczas samodzielnej terapii należy przyciskać opuszki środkowych palców obu rąk do punktu splotu słonecznego. Lód w górnej części brzucha powoli topnieje i ręce jakby pogrążają się w ciele. Znikają napięcia w górnej części brzucha i w piersi **(rys. 19)**.

Ostatni punkt środkowego kręgu leży w pępku. Obie ręce należy ustawić tak, żeby środkowe palce znajdowały się wewnątrz pępka; wtedy palce: wskazujący i serdeczny nacisną punkty po bokach pępka. Oddziaływanie jest takie samo, jak we wszystkich poprzednich przy-

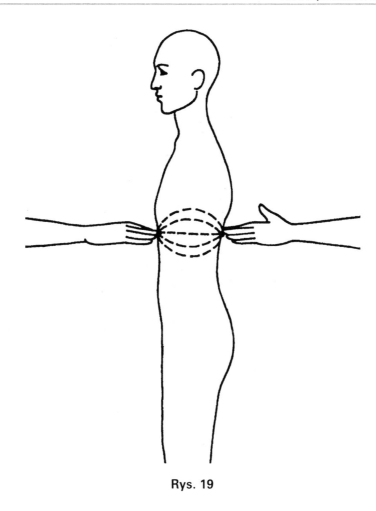

Rys. 19

padkach. Zanurzamy opuszki środkowych palców w pępku i wyobrażamy sobie, że w brzuchu taje lód napięcia, a palce zanurzają się w głębinę. Rozluźnienie punktów średniego kręgu otwiera drogę swobodnemu ruchowi „wewnętrznej wody" w brzuchu. Przenika ona do narządów jamy brzusznej, do nerek, nadnerczy, likwiduje skurcze mięśni gładkich i inne **(rys. 20)**.

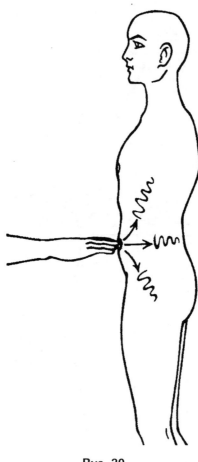

Rys. 20

Punkty odbudowujące ruch „wewnętrznej wody" po „dolnym kręgu" leżą na kości ogonowej i obok początku fałdy pośladkowej.

Palce wskazujące i kciuki obu dłoni ustawcie na punktach po obu stronach początku fałdy pośladkowej na krzyżu. Pod palcami taje lód wewnętrznego napięcia, a palce zanurzają się w głąb punktów. Znika napięcie narządów miednicy małej, „wewnętrzna woda" swobodnie porusza się w „dolnym kręgu", podnosi się i wypełnia nerki. Powstaje przy tym takie odczucie, jakby wlewała się w nie ciepła woda. Odbudowanie ruchu „wewnętrznej wody" w ciele likwiduje blokady, drobne niedomagania i polepsza samopoczucie. Dzięki systematycznej pracy z trzema kręgami ruchu „wewnętrznej wody" można uwolnić się od poważnych chorób. Jednorazowe oddziaływanie przyniesie poprawę trwającą tylko przez pewien czas.

Uniwersalne samooddziaływanie

O pisane metody pomogą wam poczuć ruch „wewnętrznej wody". Systemowe kierowanie „wewnętrzną wodą" jest możliwe dzięki uniwersalnej metodzie. Jest prosta, ale wymaga uwagi, skupienia i chęci powrotu do zdrowia.

Punkt na czubku głowy, od którego zaczyna się „struna wewnętrznego napięcia" stanie się punktem orientacyjnym. Wyobraźcie sobie, że od niego, przez ciało w dół, do stóp płynie strumyczek. Ważne jest, by waszemu wewnętrznemu obrazowi towarzyszyło odczucie wewnętrznego ruchu.

Początkowo może się wydawać, że strumyczek swobodnie przenika ciało i bez przeszkód płynie z góry w dół. Jednakże to wrażenie jest jednocześnie prawdziwe i nieprawdziwe. Strumyk rzeczywiście swobodnie przenika ciało i zdejmuje zewnętrzne rozpulchnione warstwy psychicznego i energetycznego brudu. Kiedy oczyści już struktury wewnętrzne, poczujecie swój realny stan. Zastoje przekształcają się w przegrody, w tamy, przez które strumyk „wewnętrznej wody" nie może się przebić i woda porusza się po trzech kręgach, nie przechodząc z jednej orbity na drugą. A to oznacza początek „cichej zatoki".

Wyobraźcie sobie, że zapory na drodze „wewnętrznej wody" są ciemnymi nieruchomymi bryłami lodu. Lód skuł wodę, związał ją i powoduje, że stoi nieruchomo. Nie uda się szybko zlikwidować takiego lodu. Aby osiągnąć pożądany rezultat, trzeba skupić uwagę na swoich odczuciach.

Mentalnym wysiłkiem pomagacie strumieniowi „wewnętrznej wody" omywać lodowe tamy. Lód stopniowo topi się, a woda płynie swobodniej i łatwiej. Topnienie wewnętrznego lodu (likwidowanie zastojów) przejawia się w odczuciach w postaci lekkości w głowie, piersi, brzuchu (rys. 21).

Ćwiczenia tego typu najlepiej przeprowadzać rankami. Początkowo trzeba na to (topnienie lodu) poświęcić dużo czasu. Jednakże pracując systematycznie, roztopicie lód, sprawicie, że „wewnętrzna woda" zacznie płynąć swobodnie, a jej ranna aktywizacja będzie zajmować tylko kilka minut.

Likwidacja wewnętrznych zastojów i oczyszczenie dróg ruchu „wewnętrznej wody" dla ludzi mających trudności w poruszaniu się może zastąpić aktywną gimnastykę. Połączenie aktywizacji „wewnętrznej wody" i gimnastyki przynosi wspaniałe efekty. Jeśli komuś trudno wykonywać ćwiczenia fizyczne, to likwidacja energetycznych zastojów przyniesie znaczne polepszenie.

Walka z bezsennością

Bardzo często bywa tak, że człowiek wieczorem nie może zasnąć. Gorzej, jeśli budzi się w nocy i przewraca się z boku na bok, walcząc z bezsennością aż do rana. W takich sytuacjach kierowanie „wewnętrzną wodą" pomoże zasnąć szybko i spokojnie.

Siądźcie tak, żeby fałdy pośladkowe opierały się na krawędzi łóżka lub krzesła. Przed sobą złączcie opuszki palców obu rąk, a ręce połóżcie na biodra. Oczy zamknięte. Słuchajcie odczuć w głowie. Najczęściej bezsenność jest wynikiem zastojów „wewnętrznej wody"

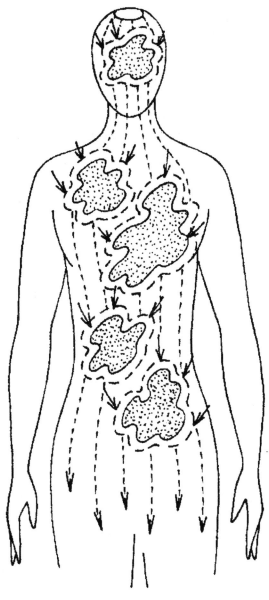

Rys. 21

w głowie. Mogą powstać na skutek jakichś niezrealizowanych pragnień, myśli czy trosk. Wyobraźcie sobie, że zamknięta w głowie „wewnętrzna woda" odpływa z niej i płynie po ciele. Początkowo ruch jest powolny, ciężki, ale z każdą chwilą zwiększa się. W głowie pojawia się pustka, lekkość i stan drzemki. Zwykle do likwidacji zastojów wystarczy kilka minut. Niezauważalnie dla siebie człowiek pogrąża się we śnie. Dlatego przy pierwszych oznakach rozluźnienia w głowie najlepiej będzie położyć się do łóżka...

ZNAJOMOŚĆ
Z BIOPOLEM

Zwyczajne – niezwyczajne

Biopole – to zwyczajne zjawisko dla każdego człowieka. Ma je każdy z nas. Każdy może się nim posługiwać w mniejszym czy większym stopniu. Biopole można poddać treningowi: rozszerzać je, kurczyć, wzmacniać lub odwrotnie – osłabiać jego przejawy... Krótko mówiąc, biopole może podlegać takim samym zmianom jak człowiek. W dodatku każda osobista zmiana w życiu czy przeznaczeniu człowieka powoduje zmiany w strukturze i natężeniu biopola.

Oto kilka ćwiczeń, które pomogą odczuć własne biopole. Złączcie dłonie i mocno ściśnijcie opuszki palców. Rozłóżcie dłonie na boki w taki sposób, jakby między nimi znajdowała się niewielka okrągła pileczka. W rezultacie palce połączone są opuszkami, dłonie rozsunięte, a między nimi powstaje przestrzeń. W przestrzeni między dłońmi może powstać jeden ze stanów: ciepło, chłód, uczucie kłucia, przyciągania lub odpychania. Możliwa jest też kombinacja tych stanów (**rys. 22**).

Powoli rozsuwajcie ręce na boki, na szerokość ramion... Wraz ze wzrostem odległości dłoni od siebie powstaje wrażenie, że są one połączone niewidocznymi nićmi.

Pozostawiacie prawą rękę nieruchomą, a lewą poruszacie powoli w górę i w dół. Ruch jednej ręki powoduje doznania w drugiej. Powtórzcie tę czynność, zmieniając ręce: lewa pozostaje nieruchoma, a prawa powoli porusza się w górę i w dół.

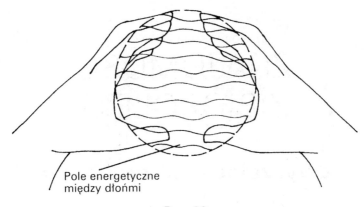

Pole energetyczne
między dłońmi

Rys. 22

Teraz zaczynacie łączyć ręce. Doznajecie odczucia, jakby między dłońmi płynęło gęste powietrze. Gdy dłonie zbliżą się do siebie na odległość 7–10 cm, odczucie ulegnie zmianie. Między dłońmi poczujecie niewidzialną piłeczkę sprężystego powietrza.

Ustawcie dłonie przed klatką piersiową, pionowo do siebie, z palcami skierowanymi w górę. Poruszajcie nimi w przeciwnych kierunkach górę i w dół. Wkrótce doznacie odczucia, że dłonie ślizgają się po niewidocznych siłowych liniach niczym dwa jednobiegunowe magnesy. To są właśnie przejawy waszego osobistego biopola – naturalnej życiowej energii człowieka.

Biopolem w choroby

Powstaje pytanie: co można zrobić za pomocą biopola? Można je wykorzystać do autodiagnostyki i samouzdrowienia.

Jak to zrobić? Ułóżcie dłonie nad tym miejscem ciała, w którym czujecie ból lub lekki dyskomfort. Potrzymajcie dłonie przez dłuższy czas, aż poczujecie strumień płynący od nich do ciała. Oddziaływanie biopolem na obszar dyskomfortu pomoże w pozbyciu się bólu i wewnętrznych zakłóceń. Życie udowadnia, że człowiek, który opanował sposoby pracy z biopolem, jest w stanie pozbyć się wielu dolegliwości. Trzeba wierzyć w swoje siły i zrozumieć, że: „Jestem zdolny do tego, by siebie uzdrowić", „Potrafię się uleczyć". Tę formułę autosugestii należy powtarzać niczym zaklęcie. Wywołajcie odczucie biopola między dłońmi i przyłóżcie ręce do ciała. Powoli oddalajcie dłonie od ciała i przybliżajcie je do niego – stworzycie energetyczny kontakt między dłońmi a skórą. Może powstać jeden ze stanów: **ciepło, chłód, uczucie kłucia, przyciągania lub odpychania. Możliwa jest też kombinacja kilku odczuć.**

Rozpatrzymy teraz samooddziaływanie na przykładzie pracy z wątrobą. Prawa ręka w odległości kilku centymetrów od ciała ślizga się po linii żeber od mostka w dół i z powrotem, a lewa – po środkowej linii brzucha, od splotu słonecznego do pępka. Wykonujcie ruchy powoli, skupcie uwagę na odczuciach w brzuchu. W wyniku ruchu waszych dłoni w brzuchu też powstaje ruch. Poruszajcie rękami powoli po linii prawego podżebrza aż do pojawienia się odczucia lekkości. Będzie to pierwsza oznaka rozluźnienia woreczka żółciowego. Jeśli nie mija uczucie ciężkości w prawym podżebrzu, ból nie ustępuje, kontynuujcie oddziaływanie energią rąk jeszcze przez 15–20 min. Dla początkujących taka praca może być nużąca. Zwykle po jej wykonaniu pojawia się zmęczenie i człowiek zasypia. To normalny objaw. Opisany sposób pomoże zlikwidować skurcz.

Zapaleniu pęcherzyka żółciowego towarzyszą stany zapalne trzustki. W tym wypadku praca z biopolem także jest skuteczna.

Przykładacie lewą dłoń do prawej strony brzucha tak, żeby palec wskazujący był przyłożony do prawego dolnego podżebrza, a kąt

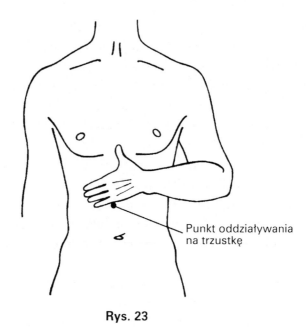

Punkt oddziaływania
na trzustkę

Rys. 23

między kciukiem i palcem wskazującym odpowiadał żebrowemu zaokrągleniu przy splocie słonecznym. Palce przy tym są złączone. Punkt
oddziaływania na trzustkę znajduje się pod podstawą małego palca,
gdzieś na szerokość dłoni od granicy żeber **(rys. 23)**.

Następny punkt oddziaływania leży z lewej strony. Aby go znaleźć,
przyciśnijcie palce prawej ręki: wskazujący i środkowy do lewego
podżebrza, a kąt między palcem wskazującym i kciukiem powinien
odpowiadać żebrowemu zaokrągleniu po lewej stronie. Wtedy drugi
punkt oddziaływania będzie odpowiadać stawowi pierwszego paliczka
palca środkowego. Albo – co jest bardziej dokładne – zgiętemu w środkowym stawie palcowi serdecznemu **(rys. 24)**.

Oddziaływanie na punkty. Przyłóżcie złożone (tak, jakbyście
chcieli nimi nabrać szczyptę czegoś) opuszki palców obu rąk do wska-
zanych punktów i zapamiętajcie je, skupcie na nich uwagę. Przyjemne

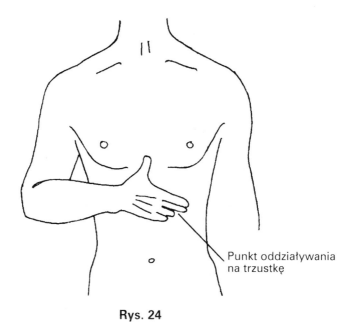

Punkt oddziaływania
na trzustkę

Rys. 24

ciepło płynące od palców rozchodzi się najpierw po skórze, potem przenika do wnętrza jamy brzusznej i rozlewa się w trzustce. Czas oddziaływania każdy określa sam, indywidualnie, jednak nie powinien on być krótszy niż 5 min. Na początku mogą pojawić się lekkie bóle, ale wkrótce trzustka się nagrzeje, rozluźni i ból minie. W brzuchu pojawi się odczucie spokoju i komfortu. Burczenie będzie świadczyć o aktywacji perystaltyki.

Ważnym warunkiem normalnej życiowej działalności organizmu jest stała równowaga w pracy jelita grubego. W organizmie jelito grube jest magistralą prowadzącą do likwidacji resztek i zanieczyszczeń. Oprócz tego to swego rodzaju piecyk ogrzewający nerki i inne narządy wewnętrzne. Jeśli zanieczyszczenia z jelita grubego nie zostaną na czas wydalone, zaczyna się wewnętrzna intoksykacja, organizm podtruwa sam siebie.

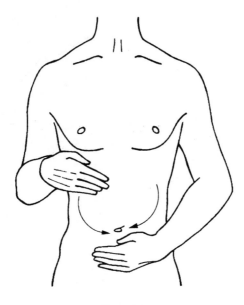

Rys. 25

Istnieje sposób na aktywizację jelita grubego. Trzeba stosować go systematycznie, w cyklach dziesięciodniowych z tygodniową przerwą. Należy powtarzać aż do skutku – do likwidacji nieprzyjemnych stanów.

Przyłóżcie dłonie do stref jelita grubego – z boków brzucha – prawego i lewego. Dłonie skierowane palcami w dół. Stwórzcie energetyczny kontakt miedzy dłońmi a ciałem i zacznijcie nimi poruszać. Prawą dłoń opuszczajcie do miednicy i stąd powoli podnoście do żeber. Lewą dłoń – odwrotnie – przesuwajcie w górę do żeber, a potem powoli przemieszczajcie w dół, do miednicy. Przy czym: lewa dłoń w dole brzucha przesuwa się pionowo do pępka, powtarzając przebieg esicy, a od pępka porusza się w dół, po linii jelita prostego **(rys. 25)**.

Po kilku ruchach dłońmi (zwykle po dziesięciu) po bocznych powierzchniach brzucha odpowiadających wstępującym i zstępują-

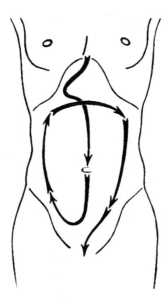

Rys. 26

cym odcinkom jelita grubego, należy dwa, trzy razy przesunąć rękami, powtarzając przebieg ruchu fizjologicznego wewnątrz jelita. W tym celu obie dłonie przesuńcie na prawą stronę, gdzieś w okolice obszaru wyrostka robaczkowego i ustanówcie energetyczny kontakt z ciałem. Powoli przesuwajcie dłonie ku górze, do prawego podżebrza. Potem w górnej części brzucha poziomo od prawego podżebrza do lewego przesuńcie ręce zgodnie z przebiegiem okrężnicy. Od lewego podżebrza powoli opuszczajcie ręce po lewej stronie brzucha. Przy końcu drogi zaokrąglajcie ruch do pępka i przesuwajcie w dół (rys. 26). Na rysunku pokazany jest przebieg fizjologicznego ruchu w przewodzie pokarmowym. Początek ruchu – to obszar wyrostka robaczkowego (leży w prawej dolnej części brzucha).

Ciepło oddechu

Ta metoda łączy w sobie energię rąk, siłę wyobraźni i możliwości oddechu. Każdego człowieka dotykają funkcjonalne zakłócenia narządów wewnętrznych objawiające się dyskomfortem. Jeśli nie podejmiemy natychmiastowych działań, wtedy zapas energii wewnątrzkomórkowej szybko się wyczerpie i dyskomfort się nasili.

Wyobraźcie sobie, że wasz wdech w postaci świecącego się obłoczka koncentruje się w dołku międzyobojczykowym, w rejonie tarczycy. Wydech natomiast w postaci obłoczka energii skierujcie na splot słoneczny. Znów skoncentrujcie wdech w rejonie tarczycy, a wraz z wydechem opuśćcie obłoczek energii na splot słoneczny. Energia gromadzi się w splocie słonecznym, po czym przekształca się w świetlistą kulę. Od niej przeciągnięta jest świecąca się nić (promień) do obszaru dyskomfortu lub bólu. Promień dotyka chorego miejsca, tkanki chłoną energię ze splotu słonecznego. Wkrótce odczucie dyskomfortu zamieni się w odczucie miękkiego ciepła. W podobny sposób – oddziałując energetycznie – można wpływać na dowolny narząd, oprócz serca. Ważne jest wyraźne wyobrażenie sobie tego, jak ciepło ze splotu słonecznego otula chore miejsce...

Wykorzystanie osobistego biopola podwyższy efektywność oddziaływania. Ułóżcie ręce nad chorym miejscem. Ciepło idące od rąk przenika skórę, wchodzi w głąb i otacza narząd zaatakowany chorobą. Przyłóżcie ręce do powierzchni ciała i ogrzewajcie chore miejsce ciepłem rąk.

Skierujcie promień energii ze splotu słonecznego w to miejsce, które ogrzewacie rękami. Ciepło rąk przechodzi przez zewnętrzne powłoki ciała i przenika do narządu z zewnątrz. Energia ze splotu słonecznego wypełnia narząd od wewnątrz. Dwa energetyczne strumienie wzmacniają się wzajemnie i rozgrzewają tkanki narządów wewnętrznych (**rys. 27**).

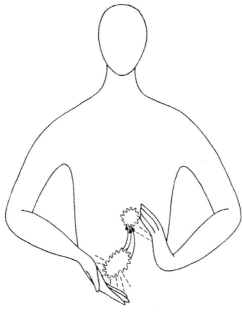

Rys. 27

To ćwiczenie należy wykonywać aż do zniknięcia dyskomfortu. Z każdą nową powtórką ćwiczenia czas trwania procedury będzie się skracał, ponieważ wewnętrzne struktury wypełniają się i gromadzą zapas siły życiowej.

ŻYWA WODA

Bajeczna siła

Z miana pór roku na naszej planecie sprawia, że woda z jednego stanu skupienia przechodzi w inny. Lód, śnieg – to stan stały. Ciekły – to sama woda. Stan gazowy powstaje wtedy, gdy woda paruje z powierzchni zbiorników wodnych. Gdy wodę ogrzewamy, może się zagotować i przekształcić w parę – jeszcze jeden wariant stanu gazowego. Jednak w procesie ogrzewania woda tworzy czwarty stan skupienia. Bezpośrednio przed zagotowaniem przechodzi granicę – tzw. „punkt krytyczny" – gdy nie jest już wodą, ale nie jest jeszcze parą. Właściwości „punktu krytycznego" obliczone teoretycznie wskazują na to, że woda w tym stanie może czynić cuda. W ciele krąży substancja przenosząca w narządach tajemniczą życiową siłę. To „wewnętrzna woda", która przebywa w stanie „punktu krytycznego". Wodę można przestrukturyzować w taki sposób, że nabędzie wielu właściwości „wewnętrznej wody".

Taka ciecz w legendach i baśniach została nazwana „żywą wodą". Każdy człowiek może stworzyć „żywą wodę", potrafi to zrobić nawet początkujący kursant. Głównym warunkiem sukcesu jest zdolność tworzenia mentalnych obrazów i kierowanie ich do naczynia z wodą.

Doświadczenia z przestrukturyzowaniem zwykłej wody wodociągowej powtarzano setki razy, przeprowadzano je w różnych regionach i państwach – i zawsze przynosiły wspaniały rezultat. Obserwowały je nawet osoby nastawione sceptycznie. Doświadczenia polegały na tym, że do dwóch baniek nalewaliśmy wodę z kranu. Jedną bańkę wody przestrukturyzowano. W drugiej nie zmieniano struktury wody – by potem wykorzystać ją do porównania uzyskanego efektu. Po przestrukturyzowaniu woda z wodociągu zmieniała smak i stawała się podobna do czystej źródlanej wody.

Mechanizm uzdrawiającego działania takiej wody polega na tym, że – stopniowo wnikając w struktury komórkowe – likwiduje wypaczenia informacyjne zakłócające prawidłowe funkcjonowanie narządów i tkanek. Jeśli będziemy regularnie pić wodę o zmienionej strukturze, to stopniowo zmieni ona płyn wewnątrzkomórkowy, a na głębokich poziomach naszego organizmu zacznie działać program praktycznego zdrowia.

Stworzenie „żywej wody"

Technika tworzenia „żywej wody" składa się z ośmiu, a czasami, w szczególnych przypadkach, z siedmiu etapów. Oto one:

1. Zrównoważenie.
2. Energetyczne nasycenie cieczy.
3. Drugi etap zrównoważenia i napełniania głębokich poziomów wody potencjałem energetycznym.
4. Wprowadzenie kodu życia.
5. Rozdrabnianie kodu życia do molekularnych i pierwotnych stanów energetycznych.
6. Rozerwanie psychoenergetycznych związków wewnątrz cieczy.
7. Wprowadzenie kodu leczniczego.

Pierwszy etap. Ułóżcie ręce po bokach naczynia z wodą i skierujcie strumienie energii z dłoni do wody. Mentalnie wykonajcie ruch

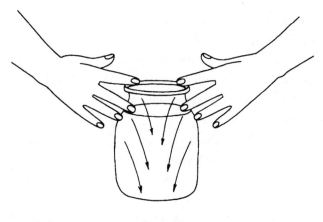

Rys. 28

nurkujący i wasza uwaga wejdzie do cieczy. Pojawia się odczucie kotłowania i chaotycznego ruchu wewnątrz wody. W codziennym życiu w celu naturalnego zrównoważenia po prostu pozostawia się ją na 24 godziny w bańce – niech się odstoi. Można ją jednak zrównoważyć w ciągu kilku minut.

Ustanowiliście już kontakt energetyczny rąk z cieczą. Wyobraźcie sobie teraz, jak chaotyczny ruch w wodzie uspokaja się. Skierujcie siłę mentalnego obrazu przez ręce, niczym przez gumowego węża, do wody. Ciecz uspokoi się, ruch kawitacyjny stopniowo ucichnie. Zrównoważoną spokojną wodę można wykorzystać do przemywania ran, oparzeń, uszkodzeń powłok skórnych. Regeneracja tkanek zachodzi znacznie szybciej. Pojawia się efekt gojącej się rany pod wpływem baśniowej „martwej wody" (leczy rany, ale nie może przywrócić życia) **(rys. 28).**

Drugi etap zmierzający ku „żywej wodzie" polega na jej energetycznym nasyceniu. Zrównoważona woda aktywizuje regenerację komórek tkanek. Gdy wodę wypełni potężny ładunek energetyczny, uzyska ona właściwości cieczy leczniczej. Zrównoważona i energetycznie aktywna woda stanowi prototyp „żywej wody", różnica polega na tym, że nasz prototyp jest „ślepy" w swoim oddziaływaniu na organizm. Gdy przenika do wnętrza, odżywia swoim ładunkiem wszystkie komórki, narządy i tkanki, wszystko, co potrzebuje uzupełnienia zapasów energetycznych. Dlatego, niestety, choroba także może czerpać siły z takiej cieczy. Jednakże energetyczne nasycenie wody stanowi niezbędny warunek jej dalszej transformacji, której wynikiem będzie „żywa woda" potrafiąca rozróżniać choroby i działać we właściwym kierunku – dokładnie na ogniska dolegliwości.

Jak nasycić wodę energią? Ułóżcie ręce nad wylotem bańki z wodą. Palce złączone w obręcz (praktyka pracy z obręczami została opisana w rozdziale „Uniwersalne wpływy"). Wyobraźcie sobie, że przez wewnętrzną przestrzeń obręczy do naczynia przechodzi strumień energii. Przenika wodę, a ona go wchłania **(rys. 29)**.

Trzeci etap. Nowe zrównoważenie. Energetyczne wypełnienie powoduje zakłócenia bilansu wody. Znów wypełniają ją wibracje, występuje stan braku równowagi. Jak poprzednio, ułóżcie ręce po bokach naczynia z wodą i skierujcie strumienie energii z dłoni ku wodzie. Mentalnie zanurkujcie i wejdźcie swą uwagą w głąb cieczy. Poczujecie głębinowe drżenie. Wysiłkiem woli zatrzymajcie je. Musicie osiągnąć odczucie spokojnej zrównoważonej cieczy.

Czwarty etap. Wprowadzenie kodu życia. Kod życia najbardziej podobny jest

Rys. 29

Rys. 30

do dojrzałego kłosa zboża. Wyobraźcie sobie taki kłos i mentalnie skierujcie go do naczynia z wodą. Przykryjcie rękami otwór słoika i chwilkę poczekajcie: kłos nasiąknie wodą, napęcznieje, dostroi się do energetyki wody (**rys. 30**).

Piąty etap. Kodem życia należy teraz wypełnić każdą molekułę wody. W tym celu należy duży obraz mentalny kłosa zbożowego rozdrobnić na ogromną ilość malutkich kłosów potrafiących się wgrać w cząsteczki cieczy. Robimy to za pomocą mocnego klaśnięcia dłońmi nad otworem słoika. Gdy klaśniemy, wibracja uderzenia przejdzie do wody i zmieni mentalny obraz kłosa w ogromną ilość maleńkich kłosków. Ciecz przypominać teraz będzie gęsty kisiel (**rys. 31**).

Woda, mimo że jest energetycznie aktywna i wypełniona kodem życia, wciąż pozostaje tylko wodą. Trzeba przekształcić ją w ciecz zdolną przenikać głębokie struktury materii, oczyszczać komórki i usuwać z nich starą wodę wypełnioną negatywnymi blokami informacyjnymi. W tym celu należy usunąć z naczynia wewnętrzny rdzeń utrzymujący strukturę wody w starych związkach molekularnych.

Szósty etap. Otwartą dłoń prawej ręki przesuwamy nad otworem naczynia. Początkowo niczego szczególnego nie zauważamy. Powtórzmy ruch dłonią. Pojawia się słabe odczucie, jakby coś lekko drasnęło skórę dłoni... Ze słoika wystaje energetyczny rdzeń naładowanej wody utrzymujący ją w stanie strukturalnym. Mentalnie chwytamy sterczący z niego rdzeń i zaczynamy ciągnąć w górę. Mięśnie ręki napinają się. Powoli, milimetr po milimetrze korzeń wychodzi z wody. Wtedy zróbmy ruch ręką, jakbyśmy strząsali z niej brud (**rys. 32**).

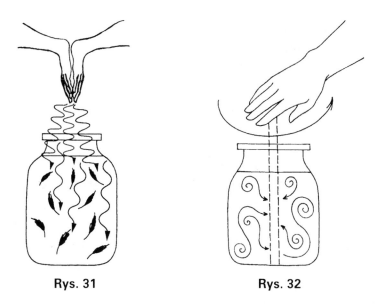

Rys. 31   Rys. 32

Znowu ustawmy dłonie po bokach słoika i obejmijmy go energetycznym polem rąk. Pojawi się całkiem nowe wrażenie: w naczyniu jest ruchoma, płynna substancja... Posmakujmy – zwykła woda wodociągowa upodobniła się do źródlanej. Gdy kogoś męczy zgaga, nawet jednorazowe wypicie takiej cieczy znacznie zmniejszy dolegliwości.

Siódmy etap – wprowadzenie kodu leczniczego. Trudno byłoby wprowadzić kod leczniczy w postaci jakiejś konkretnej struktury. Każdy jednak ma określoną wewnętrzną asocjację choroby. Jedni wyobrażają sobie chorobę jako ciemny i brudny skrzep, inni – jako szarą błonę... Jednym słowem ilu ludzi, tyle różnych obrazów choroby.

Ułóżcie przed klatką piersiową dłonie złożone na podobieństwo czerpaka. Wyobraźcie sobie, że obraz choroby legł w dłoni, a wy zanurzacie go w bańce z wodą. W miarę zanurzania kosmaty, brudny kłębek choroby rozpuszcza się – staje się jasny, czysty, przejrzysty. W kontakcie z „żywą wodą" choroba rozpuszcza się, zmienia znak z minusa na plus. W procesie tworzenia kodu antychoroby należy mentalnie powtarzać słowne formuły na temat zdrowia – na przykład: „Moja głowa jest jasna, świeża i lekka. Naczynia mózgu są czyste i swobodne, a krew z łatwością i lekkością w nich krąży... Uwalniam się od choroby, wypędzam ją... Jestem zdrów (zdrowa)!".

Kolejne kroki
ku zmianie struktury wody

Krok pierwszy – zrównoważenie wody, zatrzymanie chaotycznego ruchu wewnętrznego. Za pomocą myśli i energii przenikamy w głębokie struktury wody, by doprowadzić ją do spokojnego stanu równowagi.

Krok drugi – energetyczne wypełnienie cieczy strumieniem przepuszczonym przez „soczewkę" obręczy.

Krok trzeci – ponowne zrównoważenie po energetycznym doładowaniu, gdyż woda wypełniona ładunkiem energii traci swą równowagę i ponownie ma tendencję do chaotycznego ruchu.

Krok czwarty – wprowadzenie „kodu życia". Wizualny obraz, którym się posługujemy, przypomina trójwymiarowy, dojrzały pszeniczny kłos. Wyobrażamy sobie kłos stojący w wodzie pionowo, sięga od dna naczynia do powierzchni wody.

Krok piąty – mocne klaśnięcie dłońmi nad otworem słoika rozbijające jednolity „kłos" „kodu życia" na mnóstwo malutkich kłosków wgranych w molekuły wody.

Krok szósty – wyciąganie energetycznego korzenia z naczynia z wodą – w ten sposób przestrukturyzowujemy wodę, sprawiamy, że staje się nadprzepuszczalna dla informacji energetycznej.

Krok siódmy – wgranie w wodę kodu leczniczego (kodu antychoroby).

Rozmywanie chorób

I stnieje wiele sposobów praktycznego wykorzystania przestrukturyzowanej wody. Zacznijcie od wypicia małego łyka wody i wsłuchajcie się w swoje odczucia. Zadziwiający jest fakt, że łyk naładowanej wody nawet nie dociera do żołądka. Jest absorbowany w górnych odcinkach przewodu pokarmowego, wchłaniany przez komórki... Skoncentrujcie uwagę na łykach wody i wyobraźcie sobie, jak z wody wyzwala się błyszczący, lśniący energetyczny obłoczek energii, mentalnym wysiłkiem skierujcie go do chorego narządu lub w strefę dyskomfortu. To działanie można powtarzać wielokrotnie.

Zewnętrzne oczyszczenie

K ażdego człowieka otacza energoinformacyjny obłok, w którym skoncentrowane są energetyczne projekcje wewnętrznych dolegliwości. Dzięki aktywnej wodzie można efektywnie go oczyścić. Nabierzcie w dłonie przestrukturyzowaną wodę, chwilkę potrzymajcie (kilka sekund) i podrzućcie wodę nad głowę w taki sposób, żeby na was spadła. Z boku będzie widoczne, że spadająca woda jakby omija ciało, okrąża je po niewidocznych liniach energoinformacyjnych otoczek. Aktywna woda spływa po nich i zmywa nagromadzony brud, zabiera energetyczne i informacyjne odpady. W rezultacie takiego oczyszczenia powstaje uczucie świeżości i czystości w przestrzeni wokół ciała (**rys. 33**).

Nacieranie „żywą wodą"

M amy już doświadczenie w przestrukturyzowaniu wody, dobrze też jest wiedzieć, że możliwości jej zastosowania są nieograniczone. Niezwykłość opisywanej procedury polega na tym, że nie trze-

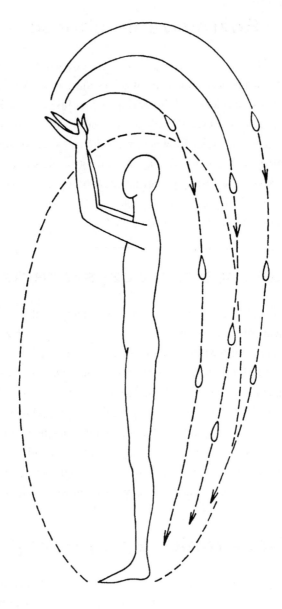

Rys. 33

ba stosować w niej litrów „żywej wody". Zwykle słowo „nacieranie" oznacza obfite zmoczenie ciała wodą – albo tą spod kranu, albo inną. W tym przypadku do nacierania przeznaczymy niewiele wody – wystarczy mniej więcej szklanka. Jednakże rezultat, jakiego doświadczymy, będzie znacznie większy w porównaniu ze standardowym nacieraniem zwykłą wodą.

Nabierzcie w dłonie nieco przestrukturyzowanej wody. Dokładnie rozetrzyjcie ją między dłońmi i natrzyjcie nią przedramiona. Potem znów nabierzcie w garście nową porcję „żywej wody" (10–15 g) i rozetrzyjcie ją po ciele. Nacieracie mokrymi rękami klatkę piersiową, plecy, brzuch itd.

Całą procedurę kończycie nacieraniem twarzy. Nie myjcie twarzy, tylko ją nacierajcie. Wilgotnymi dłońmi głaskacie skórę twarzy – najpierw od czoła do podbródka, potem od nosa do uszu.

Widoczny efekt oddziaływania „żywej wody" pojawi się po kilku chwilach. Wewnątrz ciała odczujecie świeżość, twarz będzie jaśnieć czystością. Nacieranie wodą zmienioną pod względem struktury usuwa ze skóry ładunek negatywnych energii, których w ciągu dnia wiele gromadzi się na każdym z nas. Jeśli będziecie wykonywać to ćwiczenie wieczorami, po całym dniu pracy, pozbędziecie się zmęczenia i zregenerujecie utracone siły. To jednak nie przeszkodzi w spokojnym i głębokim śnie.

Zaproponowaną procedurę dobrze jest wykonywać także rankami. W ciągu nocy nagromadzone w podświadomości negatywy wydostają się na zewnątrz i osiadają na skórze. Dlatego dzięki porannemu nacieraniu pozbędziecie się marnego nastroju, senności, zyskacie natomiast rześkość, energię i siły.

BILANS CHOROBY I ZDROWIA

E nergia negatywnych emocji uderza w słabe miejsca organizmu, a następstwem tego są konkretne choroby... Gdy człowiek pokonuje jakąś dolegliwość, pojawia się ryzyko innej choroby. Negatywna energia choroby pozostała wewnątrz organizmu i kontynuuje swe niszczycielskie działanie. Posłużmy się przykładem. Przywrócono zdrową pracę przewodu pokarmowego, ale wkrótce pojawiła się nowa choroba. Na tym polega przejaw Stałego Stanu Patologicznego (UPS – ustojcziwoje patołogiczeskoje sostajanije). Termin UPS stworzyła członkini Akademii Nauk, N. Bachtieriewa, autor książki posługuje się nim, jako najbardziej odpowiednim w danym wypadku.

Negatywna energia chorób tworzy w podświadomości szczególny program energetyczny, który w każdej chwili może stać się przyczyną niedyspozycji, dolegliwości. Znajdą one słabe miejsce w organizmie i przejawią się w postaci choroby... Dolegliwości będą następować jedna po drugiej, a człowiek będzie musiał stale z nimi walczyć. Przyczyna takiego stanu rzeczy tkwi w stałym programie choroby. UPS przenika i wdraża się do układu energoinformacyjnych oddziaływań organizmu, prowokując początkowo tylko funkcjonalne zakłócenia. Jednakże to dopiero preludium. Nieświadomy program gotowości na choroby pokonuje granicę naturalnego oporu, zmienia wewnętrzne orientacje w taki sposób, aby choroba stała się cenną wartością, a zdrowie – odstępstwem od normy. UPS zmienia nie tylko wewnętrzne ukierunkowania, ale także standardy percepcji.

Dlatego należy uprzedzić rozwój chorób i neutralizować energetyczny program choroby. Zgromadzoną negatywną energię można przekształcić w nieszkodliwy wyprysk. W tym celu należy zmienić jej ładunek z ujemnego na dodatni.

Oczywiście opis głębinowych nieświadomych procesów zostanie podany w przybliżeniu, bez mnóstwa niuansów i indywidualnych szczegółów charakterystycznych dla każdego człowieka. Najważniejszą sprawą jest korekcja nieświadomego patologicznego programu choroby. Zmiana ładunku energetycznego i osiągnięcie wewnętrznej równowagi nie pozostawi miejsca dla chorób. Bilans choroby i zdrowia polega na tym, że pozytywne siły zdrowia i negatywne nieświadome programy równoważą się wzajemnie. Będąc w takim stanie, człowiek nie powinien chorować.

Jednym z potężnych czynników destabilizujących jest aktywne przeżywanie negatywnych emocji. Niestety, ich przewaga w codziennym życiu rodzi predyspozycje człowieka do chorób. Dlatego należy zlikwidować istniejące już UPS i stworzyć wewnątrz taki system percepcji świata, który stanie przed złymi emocjami niczym barykada i powstrzyma chorobę.

Cały system praktyk uzdrawiających zorientowany jest na przewagę pozytywnego emocjonalnego nastroju i nastawienia człowieka. Jednak w celu utrwalenia rezultatu oraz stworzenia wewnętrznej równowagi należy opanować szczególną praktykę, uformować program wewnętrznej jednolitości i zapełnić nim uwolnioną od UPS przestrzeń.

Pozbycie się UPS trzeba zacząć od skoncentrowania uwagi na „strunie wewnętrznego napięcia”. Poczujcie ją na całej długości – od czubka głowy do krocza. Wyobraźcie sobie, że rozchodzą się od niej koliste fale rozluźnienia, które likwidują napięcie.

Po osiągnięciu stanu głębokiego relaksu wsłuchujcie się w odczucia płynące ze „struny wewnętrznego napięcia”. Jest ona jakby oblepiona grubą, brudną skorupą. To są właśnie programy braku zdrowia.

Należy je zniszczyć. W tym celu rozbijcie skorupę. Mentalnym wysiłkiem naciągnijcie strunę, a skorupa, jak wysuszona glina, zacznie od niej po kawałku odpadać. Po uwolnieniu struny mentalnymi rękami uprzątnijcie resztki negatywów. Potem znów wyobraźcie sobie fale rozchodzące się koliście – one zabiorą resztki negatywów z organizmu.

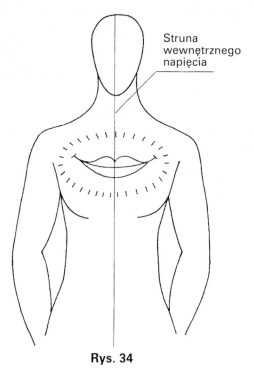

Struna wewnętrznego napięcia

Rys. 34

Po zakończeniu tych działań wyobraźcie sobie uśmiech w swojej klatce piersiowej – niech wewnątrz klatki piersiowej wyobrażane przez was usta rozciągną się w dobrym i delikatnym uśmiechu. Początkowo będzie to obraz waszej wyobraźni, ale wkrótce pojawi się w waszej piersi realne odczucie miękkiego, pieszczotliwego ciepła. Wraz z kolistymi falami mentalnie rozprzestrzeniajcie uśmiech na wszystkie strony. Niech wypełni sobą wewnętrzną przestrzeń (**rys. 34**).

SZYBKA SAMOPOMOC

Można kierować samopoczuciem i szybko zregenerować swoje zdrowie, ponieważ istnieją efektywne sposoby leczniczego oddziaływania. Znając je, można zaradzić bólowi głowy czy zęba, wyrównać ciśnienie, oczyścić organizm. Opisane sposoby samopomocy skrócą okres regeneracji organizmu po przebytej chorobie. Dzięki nim można zniszczyć w zarodku dolegliwości i choroby.

Opróżnienie jelita

Przygotujcie dwie szklanki ciepłej, odrobinę posolonej wody (kilka kryształków soli na czubku łyżeczki). Wypijcie wodę małymi płynnymi łyczkami i słuchajcie, jak przechodzi przez przełyk, przewód pokarmowy i wypełnia żołądek. Unieście prawą rękę tak, by dłoń znalazła się nad głową. Lewą rękę usytuujcie na dole, w okolicy wzgórka łonowego, dłonią ku górze. Między dłońmi powstaje strumień energii **(rys. 35)**. Pole to przenika ciało od czubka głowy do miednicy i uaktywnia pracę jelit. To ćwiczenie wykonujcie przez kilka minut – każdy określa niezbędny dla siebie czas. Ćwiczenie pomaga aktywizować jelito i opróżnić je w sposób naturalny. W razie jakichkolwiek trudności z opróżnieniem należy płynnie i głęboko nacisnąć kilka razy punkt położony na szerokość dłoni poniżej pępka.

Po posiłku można kilka minut głaskać brzuch.

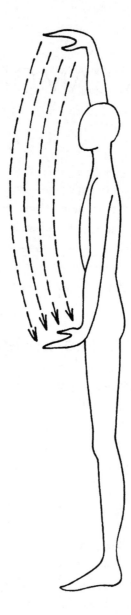

Rys. 35

Jak to robić? Prawą rękę kładziecie na splocie słonecznym i zaczynacie ruch nieco w prawo i w dół do pępka. Od pępka zaczynacie prowadzić rękę do wzgórka łonowego i znów w prawo do strefy wyrostka robaczkowego. W dalszym ciągu, głaszcząc brzuch dłonią, przesuwacie rękę z dołu do góry, do prawego podżebrza. Prowadzicie rękę w poprzek brzucha z prawej strony na lewą i od lewego podżebrza opuszczacie rękę – na szerokość dłoni poniżej pępka. A z tego punktu prowadzicie ją do pępka i na dół **(rys. 36).** Takie głaskanie naśladuje naturalny ruch przetrawionego pokarmu w jelicie.

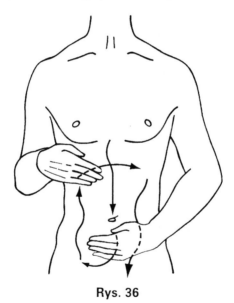

Rys. 36

„Płaszczyzna"

Ćwiczenie takie jest szczególnie efektywne przy wyrównywaniu ciśnienia tętniczego. Bardzo ważne, byśmy podczas jego wykonania przestrzegali zasady rozumnej wystarczalności. Na treningach bywały takie przypadki, że np. kobieta w ciągu pół godziny obniżyła ciśnienie ze 190 do 90 mm Hg. Taki nagły spadek może powodować negatywne skutki, dlatego we wszystkim należy zachować ostrożność.

Przyjmujemy taką pozycję wyjściową, jaka jest dla nas najwygodniejsza: możemy usiąść lub położyć się. Wyobraźmy sobie nad głową przezroczystą płaszczyznę położoną poziomo w stosunku do centralnej osi ciała. Zróbmy wdech – powoli i głęboko, a razem z wydechem przesuwajmy mentalną płaszczyznę w dół, przez ciało. Początkowo możemy mieć trudności ze skoncentrowaniem uwagi, dlatego powtarzamy sobie: „Płaszczyzna przeszła przez głowę, minęła ramiona, klatkę piersiową, brzuch..." – i po kolei, aż do stóp.

W miarę obniżania się płaszczyzny czujemy, że na pewnych odcinkach przesuwa się ona z trudem, gdzie indziej natomiast przechodzi bardzo szybko. Spowolnienie ruchu wiąże się z energetycznymi zastojami, przyspieszenie zaś – z pustką energetyczną w różnych odcinkach ciała.

Wdech wykonujemy swobodnie, natomiast z wydechem naciskamy płaszczyznę z góry i płynnie popychamy ją w dół. Nie próbujmy na jednym wydechu przeprowadzić płaszczyzny przez całe ciało – od głowy do stóp – to nierealne. Będziemy przesuwać ją odcinkami: wdech... i z wydechem przeprowadzamy płaszczyznę przez głowę, potem – przez klatkę piersiową... itd. (**rys. 37**).

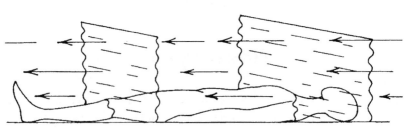

Rys. 37

Za pomocą tej metody można skutecznie blokować początkowe objawy ostrej infekcji wirusowej górnych dróg oddechowych. Gdy tylko powstaną łaskotki w nosie – zwiastuny kataru, drapanie w gardle, kilkakrotnie przesuńcie płaszczyznę przez głowę i klatkę piersiową (od czubka głowy do splotu słonecznego). Skoncentrujcie uwagę na tych odcinkach, na których pojawi się dyskomfort. Płaszczyzna oczyszcza zaśluzowaną nosogardziel, likwiduje drobnoustroje odpowiedzialne za infekcję. Można wyobrazić sobie, że płaszczyzna ściera chorobotwórczy brud, jak pył ze szkła...

Metodę tę można także stosować w kierunku przeciwnym: gdy podnosimy płaszczyznę wraz z wdechem, od stóp ku głowie. Tak zmodyfikowane ćwiczenie można wykorzystać wtedy, gdy chcemy podnieść ciśnienie krwi, zlikwidować skurcz mięśni (także mięśni gładkich narządów wewnętrznych). Leżąc na plecach, wyobraźcie sobie płaszczyznę położoną za stopami, poziomo w stosunku do ciała. Z wdechem zaczynacie podnosić ją w górę, przez nogi. Za płaszczyzną odczucie ciała prawie zanika lub znacznie słabnie.

W miarę przesuwania się płaszczyzny od stóp w górę odczucia znikają i doświadczamy rozkosznego, ciepłego stanu spokoju. Gdy płaszczyzna wraz z ostatnim wdechem zostanie przeprowadzona przez głowę, może dojść do drzemki lub zamroczenia. Po tym poprawi się samopoczucie, znikną skurcze oraz inne zjawiska chorobowe w ciele. Najlepiej wykonywać ćwiczenia z płaszczyzną wieczorem, gdy głęboki relaks naturalnie przechodzi w sen.

„Krab"

Ta metoda samoleczenia jest przydatna w zapaleniu płuc, oskrzeli, przy infekcjach górnych dróg oddechowych, przeziębieniach itp. Wyjaśnimy ją na przykładzie. Mamy suchy męczący kaszel. Oprócz

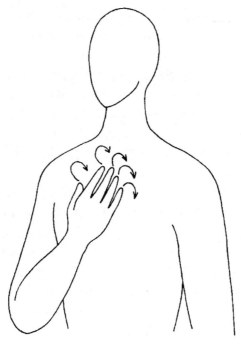

Rys. 38

inhalacji i lekarstw zastosujmy także energetyczną siłę swoich rąk. Prawą dłoń nakładamy na chore miejsce klatki piersiowej, palce są zgięte na drugim paliczku i rozpostarte **(rys. 38)**.

Powoli robimy wydech, wyobrażając sobie, że płynie on przez dłoń i energia z palców, wyginając się niczym haczyki, przenika do wnętrza i gorącym strumieniem ogrzewa oskrzela i płuca, wyrównuje potencjał bioenergetyczny narządów, odbudowuje normalną cyrkulację energii w kanałach i meridianach.

Ważne jest stworzenie odczucia przenikającego ciepła płynącego z ręki do piersi i dalej do płuc i oskrzeli. Efekt leczniczy uzyskuje się dzięki temu, że energia wędruje nie tylko z dłoni, lecz przede wszystkim – z palców.

Ból głowy

O d bólu głowy można uwolnić się na wiele sposobów. Jedna ze znanych nam pradawnych metod jest bardzo efektywna, uwalnia od cierpień spowodowanych brakiem równowagi energetycznej. W celu zlikwidowania bólu głowy nasi przodkowie trzymali nad nią zwyczajne sito do przesiewania mąki. Ból przechodził. I nie ma w tym nic zagadkowego. Przecież sito – to okrągła komórkowa struktura, z oczkami – otworami.

Najczęściej ból głowy jest wynikiem zastoju krwi w naczyniach krwionośnych głowy i nadmiaru energii. Wewnątrz sita znajduje się ogromna ilość drobnych otworków – oczek siatki. Strumień energii, przechodząc przez sito, rozdrabnia się w jego oczkach i w postaci mnóstwa cienkich energetycznych strużek przenika głowę, aktywizuje wewnętrzną energię, powoduje, że staje się ona ruchoma, płynna.

Uwolnienie się od bólów głowy za pomocą sita – to pierwszy krok do wyzdrowienia. A jeśli umieścimy sito na głowie i skoncentrujemy uwagę na strumieniu energii schodzącym poprzez sito do ciała, pojawi się odczucie omywania mózgu. Subtelne strumienie energii płyną w dół po kręgosłupie i w obszarach dyskomfortu pojawia się napięcie. Jednakże minie ono szybko i kręgosłup wypełni się siłą.

Potrzymajcie sito na głowie około pół godziny – poczujecie wtedy, jak strumień energii ujawnia „energetyczne pustki" narządów wewnętrznych i wypełnia je. Wewnątrz organizmu powstają: rozluźnienie, spokój i cisza.

Możemy zniwelować nie tylko własny ból głowy – jesteśmy w stanie pomóc też innemu cierpiącemu na taki ból. Osiągniemy to dzięki zastosowaniu obręczy z palców. Ułóżcie ją nad ciemieniem partnera i kierujcie przez obręcz powietrze w postaci powolnej strużki. Wyobraźcie sobie, że wasz powiew przenika przez kości czaszki do wnętrza głowy i omywa mózg. Zazwyczaj na początku strumień energii i wasz powiew natykają się na niewidzialną przeszkodę. To ból głowy sprzeciwia się takiemu oddziaływaniu. Stopniowo opór słabnie... Ból rozpuszcza się, niczym kostka cukru w wodzie. Pojawia się odczucie, że wiaterek spowodowany waszym powiewem obmywa mózg partnera i swobodnie wypływa przez oczy lub nos.

Mycie

Najczęściej sposób ten wykorzystywany jest przy bólach głowy i (albo) niedostatecznym zaopatrzeniu tkanek mózgu w tlen oraz przy zaburzeniach naczyniowych wewnątrz głowy.

Dłoń prawej ręki znajduje się tuż przed twarzą, palcami w dół. Środek dłoni położony jest na poziomie nosa. Zróbmy powolny wdech przez nos i jednocześnie przesuńmy rękę od podbródka w górę, do czoła. Wyobrażamy sobie, że ręka chwyta świeży strumień powietrza i przeprowadza go wewnątrz czaszki nad obiema półkulami mózgu. W obszarze ciemienia wdech omywa most (miejsce połączenia mózgu z rdzeniem kręgowym), przenikając do mięśni i naczyń szyi. Doznajemy wrażenia, że wewnątrz głowy lekko powiewa świeży wiaterek. Następnie opuszczamy rękę i prowadzimy nad karkiem w dół i w bok – nad ramieniem. Temu ruchowi towarzyszy wydech. Wdech wlewa się do głowy, zmywa z mózgu energetyczny brud, a wydech wynosi ten brud z głowy (**rys. 39**).

Podczas bólu głowy ćwiczenie to należy wykonywać aż do jego zniknięcia. Można je modyfikować: prawą rękę prowadzimy nad lewą stroną głowy i wdychamy powietrze lewą dziurką nosa; lewą rękę prowadzimy nad prawą stroną głowy i wdychamy powietrze prawą dziurką. Podczas takiego wykonywania ćwiczenia palcami wolnej ręki zatykamy na wdechu jedną z dziurek nosa. Na wydechu – odwrotnie: nie zatykamy już dziurki zatykanej na wdechu, tylko zatykamy drugą dziurkę.

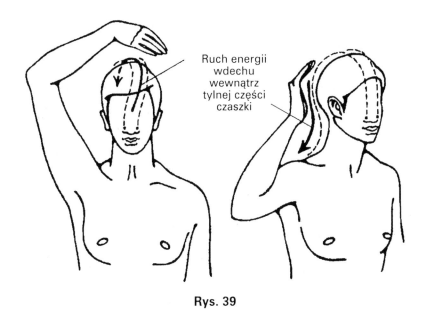

Ruch energii wdechu wewnątrz tylnej części czaszki

Rys. 39

Jeśli ćwiczenie wykonujemy długo (5–10 minut), koniecznie róbmy przerwy, w przeciwnym razie może dojść do hiperwentylacji mózgu, a to prowadziłoby do niepotrzebnych komplikacji.

Szklanka światła

Podczas zwykłego umiarkowanego odżywiania się nie doznajemy uczucia ciężkości i lepiej, bo lżej, reagujemy na zdarzenia zewnętrzne. Chroniczne przeciążenie przewodu pokarmowego rozleniwia umysł i powoduje niestabilność psychiki. Na szczęście przyzwyczajenie do nadmiernego objadania się można zmienić i przejść na racjonalne odżywianie. Aby to osiągnąć, należy przestrzegać kilku prostych reguł.

Nie wolno brać się za jedzenie, będąc głodnym. Uczucie głodu należy do najpotężniejszych w emocjonalnym arsenale człowieka, wobec tego siadając do jedzenia, można łatwo przeskoczyć granicę nasycenia się. Zatem niezależnie od tego, jak bardzo by nam głód doskwierał, najpierw powinniśmy zjeść niewielki kęs chleba z solą. Wtedy apetyt zmniejszy się. Porcja, która wywoła uczucie sytości, zmniejszy się dwukrotnie.

W międzyczasie, między spożyciem kawałka chleba z solą i podstawowego dania, trzeba pogłaskać gałki oczne, mając zamknięte powieki. Za nimi leżą strefy regulujące apetyt. Masaż należy wykonać miękkimi, powolnymi, okrężnymi ruchami zgodnie ze wskazówkami zegara.

Aby zaspokoić głód mniejszą ilością jedzenia, trzeba koncentrować uwagę na odczuciach języka i podniebienia oraz przeżuwać długo i dokładnie. Zwykle podczas jedzenia ludzie rozmawiają, czytają, słuchają radia, oglądają telewizję, a strumienie zewnętrznej informacji zagłuszają słabe sygnały receptorów sytości. Za sytość ludzie uważają rozpieranie i ciężar w żołądku. A to już są sygnały przejedzenia. Nadwyżki pokarmów przekształcają się w zanieczyszczające organizm odpady albo w tłuszcz i zmuszają przewód pokarmowy do nadmiernej obciążającej go pracy. Gdy koncentrujemy uwagę na odczuciach języka i podniebienia, zjadana porcja zmniejsza się dwukrotnie i ta ilość wystarczy do zaspokojenia głodu.

Należy także zerwać z przyzwyczajeniem kończenia posiłków herbatą. Porównajcie swoje odczucia: po dobrym obiedzie niezakończonym wypiciem np. kompotu, nie czujemy ciężkości w żołądku i mamy jasną głowę. Gdy jednak piliśmy po posiłku, czujemy ciężar obiadu – naciska on ścianki żołądka i trudno przetrawić to, co zjedliśmy. Zwiększa się dopływ krwi do żołądka, w głowie pojawia się uczucie ciężkości, czujemy się senni i ospali.

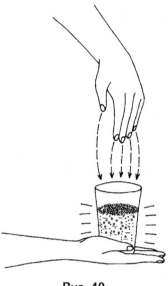

Rys. 40

Uczucie pragnienia powstałe po zjedzeniu pokarmu szybko prze-chodzi. Trzeba wytrzymać tych kilka minut. W celu przyśpieszenia tra-wienia można zastosować pewien nietrudny psychofizyczny sposób. Weźcie pustą szklankę i postawcie ją na lewej dłoni. Prawą dłoń ułóż-cie u góry, nad szklanką; palce skierowane do jej wnętrza. Wyobraźcie sobie, że z palców prawej dłoni do szklanki wlewa się gęste światło **(rys. 40)**. Szklanka napełnia się wyobrażanym światłem. Pusta szklan-ka (lub filiżanka) robi się w tym czasie znacznie cięższa. Podnieście szklankę wargami i, realnie przełykając, wypijcie to światło. Jed-nocześnie głaszczcie ręką okolice żołądka. Regularne „wypijanie szklanki światła" po jedzeniu aktywizuje trawienie i podwyższa przy-swajalność pożywienia.

Promień energii z dłoni

N ałóżcie prawą dłoń na lewą i skupcie wzrok w jej centrum. Dłonie ustawcie pod kątem w stosunku do twarzy. Energia spojrzenia odbija się od nich i w postaci skoncentrowanego strumienia wlewa się do nasady nosa.

Strumień przez nasadę nosa dostaje się do głowy i rozmywa wewnętrzne struktury oraz niweluje napięcie. Skierujcie strumień z rąk do głowy na nasadę nosa, wyobrażając sobie, że wewnętrzny negatyw taje niczym kostka cukru w wodzie. Gdy już się całkowicie rozpuści, skierujcie uwagę na obszar miednicy. W poprzek miednicy, praktycznie u każdego człowieka, przebiega pozioma zasłona dzieląca ciało na dwie części. Krew i niskie energie potrafią swobodnie przez nią przenikać, jednak subtelne strumienie „wewnętrznej wody" zatrzymują się, nie mogąc swobodnie przepływać wzdłuż nóg. Gdy zasłona będzie rozmyta, strumień ciepła swobodnie popłynie po nogach. Stopy zostaną ogrzane tym wewnętrznym ciepłem i poczujecie, jak „wewnętrzna woda" płynie swobodnie w ciele. Po likwidacji blokady w środku ciała (okolice miednicy), przenieście uwagę na miejsca „problemowe" i rozmywajcie je strumieniem energii z dłoni (**rys. 41**).

Praktyka linii

P o przebytej chorobie z reguły jesteśmy słabi, odczuwamy brak sił. Organizm stracił zapasy energii na walkę z dolegliwościami. Jednakże spadek sił, brak energii wewnętrznej występuje nie tylko po chorobie. Stres, negatywne przeżycia, męczące oczekiwanie na jakieś ważne zdarzenie pochłaniają wewnętrzną energię każdego człowieka. A gdy brak jej w organizmie, wydaje się, że nic się nie układa, że wszyst-

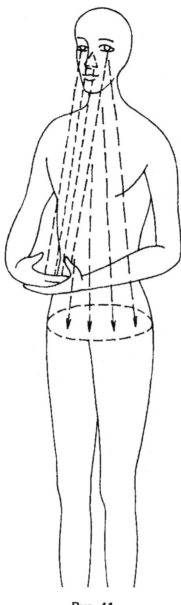

Rys. 41

ko idzie na opak. Nastrój jest zły, samopoczucie – również, sprawy idą źle... Utracony potencjał energetyczny możemy odbudować na wiele sposobów. Jednakże większość z nich wymaga określonych przygotowań. A co mają począć ludzie niewładający praktykami psychoenergetycznego samooddziaływania?

Istnieje prosta, ale niezwykle skuteczna praktyka odbudowy równowagi energetycznej w organizmie. Wiąże się z wykorzystaniem linii. Od razu należy powiedzieć, że linia musi być realna. Może nią być np. szczelina między deskami podłogi czy inna, realnie występująca linia. Podkreślam raz jeszcze, że nie można takiej linii stworzyć w wyobraźni, ponieważ ważne jest istnienie realnego znaku takiej linii.

Aby opanować praktykę linii, stańce w progu drzwi w taki sposób, by próg przechodził za środkiem stóp. Stoicie plecami do otwartego przejścia. Najpierw skoncentrujcie uwagę na odczuciach płynących z pleców. Prawie od razu powstanie nieprzyjemne uczucie pustki. Ta pustka wysysa energię, rodzi niepewność, trwogę...

A teraz stańcie na linii tak, by przechodziła pośrodku stopy. Skupcie uwagę na plecach. W odróżnieniu od przeżyć w przejściu drzwi, w plecach powstaje odczucie, że przez nie do wnętrza wlewa się siła. Nogi wypełnia strumień chłodnej energii... Gdy to poczujecie, przenieście uwagę na przednią część ciała. Przez klatkę piersiową i brzuch do wnętrza wlewa się ciepła energia. Strumienie z tyłu i z przodu mieszają się i powstaje odczucie napełnienia ciała. Dwa przeciwne strumienie – z przodu i z tyłu – wlewają się do wnętrza, są wchłaniane przez tkanki i narządy i akumulują się w wewnętrznych strukturach energetycznych.

Gdy energia wypełni już wewnętrzne akumulatory, nastrój zauważalnie się poprawi, stan psychiczny podniesie się i życie rozbłyśnie feerią barw (**rys. 42**).

Strumienie energii z przodu i z tyłu
ładują wewnętrzne akumulatory

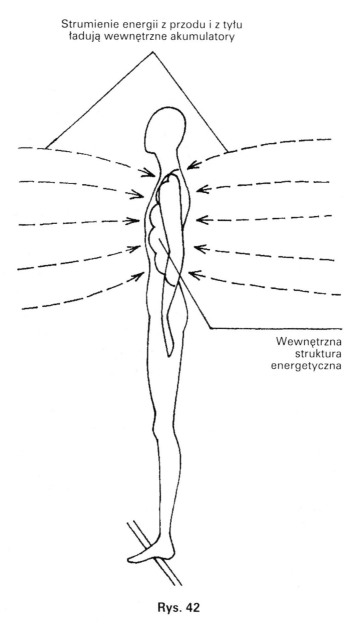

Wewnętrzna
struktura
energetyczna

Rys. 42

Ból zębów

G dy boli ząb, zazwyczaj radzi się zastosować sprawdzone ludowe środki, takie jak czosnek, płukanki ziołowe w postaci odwarów lub wywarów. Istnieje jednak cały kompleks działań, włącznie z oddziaływaniem energetycznym, który pomoże znacznie szybciej i lepiej uwolnić się od bólu. Trzeba nadmienić, że nie oznacza to wyleczenia – przy bolącym zębie prędzej czy później trzeba będzie skorzystać z pomocy stomatologa.

Powtórzę raz jeszcze, że najlepszy efekt w uwolnieniu się od bólu przynosi połączenie znanych metod pokonywania bólu z samooddziaływaniem energetycznym.

Gdy bolą zęby górnej szczęki, opuszką palca wymacajcie niewielkie zagłębienie obok wzgórka zakrywającego otwór wejściowy małżowiny usznej. Leży ono w punkcie połączenia górnej i dolnej szczęki. Przyłóżcie do tego zagłębienia palec w taki sposób, by leżał prostopadle w stosunku do szczęki. Pomasujcie to miejsce miękkimi kolistymi ruchami zgodnie z ruchem wskazówek zegara – nie naciskając – a potem pozostawcie palec nieruchomo. Pojawi się odczucie, że przez palec do wnętrza wlewa się energia, która przenika do ogniska bólu i rozmywa go. W danym przypadku odczuwamy ból w postaci ciemnego zgęstnienia, skrzepu, który pod wpływem energetycznego strumienia płynącego z palca stopniowo jaśnieje i rozpuszcza się (**rys. 43**).

Takie strefy oddziaływania leżą po obu stronach głowy i przez punkty przy uszach można oddziaływać na zęby prawej i lewej strony szczęki górnej.

Jeśli natomiast bolą zęby szczęki dolnej, można sobie pomóc w opisany poniżej sposób. Opuszkę palca (ja korzystam z palca środkowego, ale każdy może posłużyć się takim palcem, jakim mu wygodnie) poprowadźcie wzdłuż kąta doinej szczęki. Palec jakby zapadł się w nie-

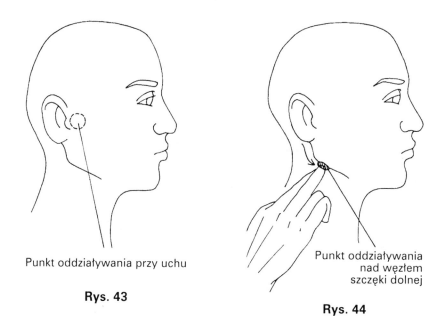

Punkt oddziaływania przy uchu

Rys. 43

Punkt oddziaływania
nad węzłem
szczęki dolnej

Rys. 44

wielkie zagłębienie. W tej wklęsłości znajduje się punkt oddziaływania na zęby szczęki dolnej **(rys. 44)**. Oddziaływanie przeprowadza się w taki sam sposób, jak przy pracy z punktami szczęki górnej. Najpierw niezbędny jest miękki masaż okrężnymi ruchami zgodnie z ruchem wskazówek zegara. Potem należy ustawić palec tak, żeby leżał prostopadle do punktu oddziaływania. Poprzez palec, jak przez rurkę do wnętrza dotrze energetyczny strumień i rozmyje ognisko bólu zęba.

Od razu należy zastrzec: nie oczekujcie natychmiastowej poprawy. Potrzeba nieco czasu, by strumień energii płynący od palca rozmył ośrodek bólu i by ból został zlikwidowany. Przy wyłącznym zastosowaniu metod energetycznych cały proces potrwa dłużej, jednakże połączenie płukania jamy ustnej, kompresów i energetyki pozwoli uciszyć ból szybko i na długo.

Jeszcze raz trzeba podkreślić: przedstawione sposoby to samopomoc, nie leczenie. Uwalniacie się od niepotrzebnych cierpień, ale wyleczyć chory ząb może tylko dentysta. Dlatego po zlikwidowaniu bólu nie odkładajcie wizyty u stomatologa.

Węzełki z solą

P radawne reguły mówią, że sól jest jednym z efektywnych środków przeciwdziałania złym zamiarom ludzi, które są skierowane przeciwko nam. Sól może nawet pomóc odeprzeć niektóre magiczne ataki. Nie daje ona, rzecz jasna, potężnej ochrony, dlatego doświadczeni magowie i czarodzieje mogą pokonać jej zaporę. Sól może okazać się bardzo skutecznym środkiem w walce z różnymi dolegliwościami. Pomoże w przypadku skoków ciśnienia krwi, bólu głowy, kolana, ramion albo narządów wewnętrznych. Oczywiście, sól nie jest lekarstwem i nie powinniśmy w niej upatrywać panaceum na choroby. Czasem trzeba najpierw uśmierzyć ból, zlikwidować nieprzyjemne odczucia, aby móc stosować lecznicze procedury. W takim wypadku zastosowanie soli będzie równoznaczne z szybką i skuteczną pomocą.

Jednym z najbardziej skutecznych sposobów zastosowania soli jest wykorzystanie szmacianych woreczków. Przygotujcie kilka skrawków kretonu lub płótna. Materiał koniecznie musi być naturalny, bez dodatków włókien syntetycznych. Rozmiar skrawków – na przykład 10×10 cm. Na środek płótna nasypcie kilka łyżeczek soli i dokładnie zawiążcie sól w gałganku tak, żeby wszystkie końce zostały zebrane w węzełek. Żeby węzełek się nie rozpadł, przewiążcie tkaninę grubą nicią (dobrze byłoby, żeby nić nie była syntetyczna). Teraz węzełek z solą jest gotowy do wykorzystania.

Gdy dokucza wzrost ciśnienia, trzeba mieć trzy takie węzełki. Jeden należy położyć na ciemieniową część głowy, a dwa pozostałe

– w okolicy połączenia szyi z podstawą czaszki. Palcem wskazującym i środkowym trzeba przytrzymać węzełki na szyi. Siądźcie spokojni, zrelaksowani, żeby węzełek na ciemieniu nie przesunął się i wkrótce poczujecie, że w głowie słabnie odczucie nacisku, ból stopniowo zanika i następuje przyjemne rozluźnienie szyi, a potem także pleców. Każdy sam określi czas trzymania węzełków z solą, kierując się swym samopoczuciem (rys. 45).

A oto inny sposób, gdy np. dokucza ból stawu lub części ciała albo narządu wewnętrznego. W takim wypadku węzełek z solą należy przyłożyć do punktu silnego przejawu bólu i powoli poruszać nim ruchem spiralnym od podstawowego punktu bólu do jego krańców. Po spiralnym przejściu od centrum do peryferii zaczyna się droga powrotna. Ręką z węzełkiem soli należy powoli kręcić odwrotną spiralę – od krańców bólu do jego centrum. Ruchy takie wykonujemy kilkakrotnie, aż do uspokojenia się nieprzyjemnego odczucia (rys. 46).

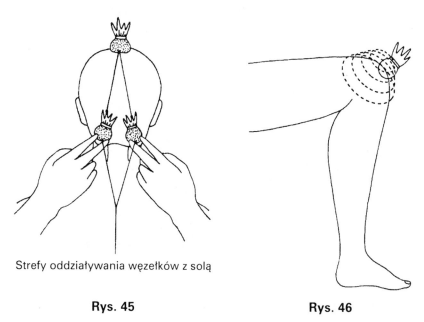

Strefy oddziaływania węzełków z solą

Rys. 45   **Rys. 46**

Po tych procedurach węzełki z solą zawsze należy wyrzucać, nie można używać ich przy powtórnym pojawieniu się bólu czy skoku ciśnienia. Idealnie byłoby wyrzucać je na ziemię pod wierzbę. W naszych warunkach musimy tylko pamiętać, by zawsze wyrzucać zużytą sól z domu.

Naciskanie punktów

Często się zdarza, że ćmiący ból wywołuje dziwną ochotę – chęć naciśnięcia chorego miejsca. Jednakże nie jest to wcale takie dziwne. Poprzez życzenia płynące z podświadomości organizm podpowiada, w jaki sposób szybko poradzić sobie z takim bólem.

Czujecie ognisko tępego, ćmiącego bólu. Określcie punkt najbardziej wyraźnego przejawu tego bólu, swego rodzaju centrum bolącego miejsca – centralny punkt bólu – i przyłóżcie do niego opuszkę palca wskazującego lub środkowego. Palce muszą być skierowane prostopadle do powierzchni ciała.

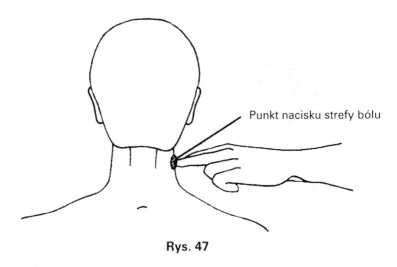

Punkt nacisku strefy bólu

Rys. 47

Teraz szybko, zdecydowanie i mocno naciśnijcie palcem centralny punkt bólu. Ból staje się ostry, mocny. Przytrzymajcie palec w głębi tkanek przez sekundę, dwie i powoli osłabiajcie nacisk. Ostry ból zanika, by znów stać się bólem tępym i ćmiącym. Teraz jest już jednak znacznie mniejszy. Powtarzajcie nacisk kilkakrotnie, dopóki ból się nie uspokoi. Zazwyczaj znaczną ulgę przynosi już pierwszy nacisk, a cała seria doprowadzi do stopniowego zniknięcia bólu. Ta metoda łączy psychoenergetyczne oddziaływania i działania na punkty refleksyjne (rys. 47).

Ogrzewanie nerek

Nerki są głównym energetycznym akumulatorem ciała. We wszystkich naukach o samouzdrawianiu to właśnie im poświęca się wielką uwagę. Nasi przodkowie wierzyli, że w nerkach gromadzi się sok życia, który organizm zużywa na swoje potrzeby. Istnieje prosta metoda pracy z nerkami. Regularne ćwiczenia będą mieć dobroczynny wpływ nie tylko na ten narząd, ale także na cały organizm.

Przyłóżcie dłonie w okolicy nerek na plecach i potrzymajcie je tak długo, aż pojawi się ciepło. Potem przesuńcie dłonie z pleców na brzuch i powoli opuszczajcie wzdłuż linii przebiegu przewodów moczowych: od dolnej granicy żeber z prawej i lewej strony do wzgórka łonowego i pęcherza moczowego. Potrzymajcie dłonie na wzgórku łonowym aż do pojawienia się ciepła. Następnie powoli poprowadźcie ręce wzdłuż linii moczowodów z prawej i lewej strony, ku górze, do dolnej granicy żeber i znów połóżcie dłonie na plecach w okolicy nerek. Pierwsze powtórki tego ćwiczenia należy wykonywać w kontakcie z ciałem, potem można już przejść do bezkontaktowej metody oddziaływania na nerki. Jednak samo

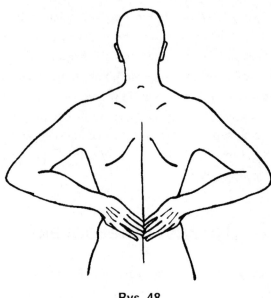

Rys. 48

ogrzewanie nerek zawsze koniecznie należy przeprowadzać metodą
kontaktową – poprzez nałożenie rąk na odpowiednią strefę pleców
(rys. 48).

RELAKS – ODPRĘŻENIE

Wielu ludzi nie potrafi się zrelaksować, odprężyć. A przecież to właśnie umiejętność rozluźnienia się, relaksu stanowi podstawę samouzdrawiania. Często aby zlikwidować stany chorobowe, wystarczy pozbyć się głębokich fizjologicznych i psychicznych napięć.

Napięcie – rozluźnienie

Nie doświadczywszy silnego napięcia, nie odczujemy głębokiego rozluźnienia. Dlatego **należy się napiąć**. Siądźcie na krześle, unieście ręce nad głowę i połączcie dłonie. Kolana złączcie ze sobą, a stopy rozstawcie na szerokość stopy. W takiej pozycji mocno zaciśnijcie dłonie i kolana: najpierw powoli licząc do trzech, potem, na każde liczenie od trzech do ośmiu, zwiększajcie siłę nacisku. Na osiem musi nastąpić maksymalne ściśnięcie dłoni i kolan. Teraz zdecydowanie zrzućcie napięcie. Skrajne napięcie zostaje zastąpione błogim rozluźnieniem. Jednakże to, czego właśnie doświadczyliście, jest tylko zewnętrzną reakcją mięśniową. W celu połączenia mięśniowego i głębinowego energetycznego rozluźnienia trzeba nauczyć się relaksować wewnętrzną oś ciała.

Rozgrzewanie opuszkami palców

Opuszkami palców prawej ręki potrzyjcie energicznie lewą dłoń, a potem opuszkami palców lewej ręki w ten sam sposób potrzyjcie prawą dłoń. Postukajcie opuszkami palców obu rąk o siebie nawzajem i znowu potrzyjcie dłonie. Czynność tę powtarzajcie do momentu odczucia w palcach pulsującego ciepła. Rozgrzane opuszki palców obu rąk nałóżcie na czubek głowy i „słuchajcie" swoich odczuć. Ciepło z palców przenika do wnętrza głowy, porusza się w dół. Przypomina to powolny przepływ ciepłej wody z góry na dół. W miarę rozchodzenia się ciepła pojawia się wewnętrzne rozluźnienie, które wypełnia najpierw głowę, potem szyję, ramiona, ręce, tułów, by przesunąć się w dół – aż po czubki palców nóg.

Zacznijcie głaskać głowę od jej czubka w dół. W ten sposób pomagacie ciepłu rozprzestrzenić się na wszystkie części ciała i rozluźnić je. Poruszajcie rękami z góry na dół, nie dotykając ciała. Ciepło płynące z rąk stopniowo rozluźni ciało. Mięśnie staną się ciężkie i ciepłe, jakby obwisły na kościach, a kości wypełni przyjemne ciepło. Z głębi ciała uwolni się błoga niemoc i spokój.

Teraz ogrzejcie rękami okolice pępka. W tym celu przyciśnijcie dłonie do brzucha i „słuchajcie" ciepła rozchodzącego się od rąk po jamie brzusznej. Ciepło w brzuchu zwiększa ogólne rozluźnienie.

Połóżcie teraz ręce na piersi. Poczujecie ciepło płynące z rąk. Bicie serca uspokaja się, oddech powolnieje, staje się powierzchowny, ledwie słyszalny.

Podnieście ręce do potylicy. „Wsłuchujcie się" w ciepło przenikające z dłoni do głowy. Głowa rozluźnia się, myśli stają się jasne, łagodne, powolne i leniwe.

Przyłóżcie opuszki palców do zamkniętych powiek. Pojawia się ciepło i oczy rozluźniają się. Mija napięcie, znika zmęczenie mięśni oczu, oczy odpoczywają. Przytrzymajcie palce przyłożone do oczu aż do wypełnienia ciepłem gałek ocznych. Po rozluźnieniu oczu kolistymi ruchami miękko pomasujcie skronie, starając się nie przesuwać skóry. **Przesuwamy ręce od skroni w dół, a opuszki palców przechodzą koło uszu, omijają płatki ucha i zatrzymują się w zagłębieniach za uszami.** Potrzymajcie palce w tym miejscu, potem powoli przesuńcie nimi po dolnej szczęce, mijając jej kąt, i przesuńcie ręce do podbródka. Tu pozostawcie na chwilę palce, a potem poruszajcie nimi z powrotem – krajem dolnej szczęki do góry, do zagłębień za uszami.

W taki sposób przesuwajcie dłońmi kilkakrotnie, aż do pojawienia się przyjemnego rozluźnienia tkanki kostnej szczęki.

Zakończcie rozluźnienie głowy głaskaniem gardła i mięśni bocznych szyi. Kolejny raz przeprowadzając palce od zagłębień za uszami do podbródka, kontynuujcie ruch palców od podbródka w dół po gardle do zagłębienia międzyobojczykowego, a stąd po obojczyku do mięśni bocznych szyi i wzdłuż mięśni w górę, do dolnej szczęki.

Zakończywszy cały cykl ruchu rąk i jednocześnie rozluźnienia, powoli opuśćcie ręce na biodra. Pozostańcie w stanie spokoju tak długo, aż poczujecie, że uczucie ciężkości i zmęczenie już minęły.

Na zakończenie całej procedury przeciągnijcie się i obowiązkowo uśmiechnijcie, to przecież uśmiech rodzi impuls dobrego nastroju.

Centra napięcia

K ierowanie centrami napięcia umożliwia osiągnięcie głębokiego i pełnego rozluźnienia. Wysiłek włożony w relaksację będzie o wiele mniejszy w porównaniu z wysiłkiem wymaganym przy innych sposobach rozluźnienia.

Jest pięć centrów napięcia. Położone są na pionowej osi ciała.

Pierwsze centrum znajduje się w punkcie przecięcia się prostej przeprowadzonej od punktu między brwiami do potylicy prostopadle do pionowej osi. Często trudno wyobrazić sobie oś i znaleźć na niej centrum napięcia. Można jednak temu łatwo zaradzić: wszystkie centra napięcia posiadają projekcję na powierzchnię ciała. Pierwsze centrum napięcia – to punkt między brwiami.

Drugie centrum – punkt u podstawy czaszki. Znajdziecie go w zagłębieniu u podstawy czaszki. Jeśli nieco odchylicie głowę do tyłu, wyczujecie go palcem.

Trzecie centrum – to punkt leżący w zagłębieniu między obojczykami (w rejonie tarczycy).

Czwarte centrum – punkt na ostrzu wyrostka mieczykowatego środkowej kości klatki piersiowej (splot słoneczny).

Piąte centrum – punkt na przecięciu pionowej osi ciała i prostej przeprowadzonej od kości ogonowej do kości łonowej. Na zewnątrz to centrum jest punktem na kroczu, ale w celu uproszczenia można sobie wyobrazić, że zajmuje całą strefę narządów płciowych. Efekt będzie taki sam.

Szóste i siódme centra są uzupełniającymi centrami napięcia. Leżą w zagłębieniach pod kolanami (**rys. 49**).

Gdy rozluźnicie te centra, będziecie mogli szybko uwolnić się od napięcia wewnętrznego. Opuszkami palców kolejno dotykajcie punktu centrum na powierzchni ciała (popatrzcie na objaśnienia topograficzne i rysunek). Ciepło płynące od palców przenika do wnętrza centrum napięcia i wypełnia je. Wyobraźcie sobie, że od centrów napięcia we wszystkie strony biegną fale rozluźnienia, niczym od rzuconego do wody kamienia.

Gdy impulsy płynące od centrów rozluźniły ciało, przenieście uwagę na nasadę nosa i w myśli powiedzcie: „Rozluźnia się skóra, tkanka kostna, przewody nosowe". Po rozluźnieniu nasady nosa rozluźnią się także przylegające do nosa kości twarzy.

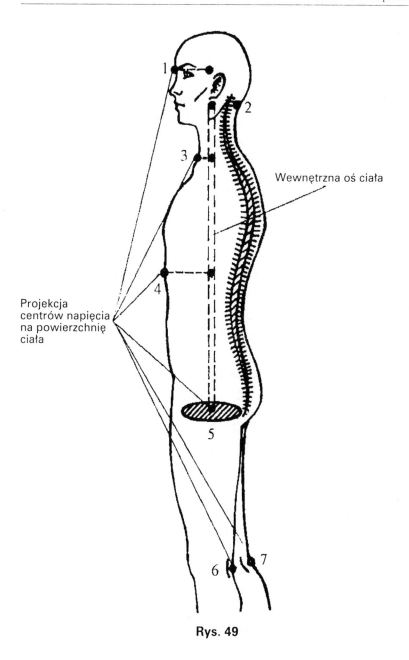

Wewnętrzna oś ciała

Projekcja
centrów napięcia
na powierzchnię
ciała

Rys. 49

Teraz wyobraźcie sobie, że leżycie w ciepłym przejrzystym strumieniu, a on płynie przez ciało od głowy do nóg. Początkowo mogą powstać trudności w stworzeniu takiego obrazu, stopniowo jednak skoncentrowanie uwagi na „odczuciach strumienia" rozmywa ciało. Woda przenika skórę, mięśnie, kości i narządy wewnętrzne, wymywając brud i ciemność.

Kiedy w strugach mentalnego strumienia rozpuszczą się resztki wewnętrznych napięć, pojawią się spokój i równowaga. Ten stan prowadzi do szybkiej regeneracji sił, do naładowania energią narządów i układów.

Zanurzenie się w spokoju

U miejętność rozluźniania centrów napięć będzie pomocna w opanowaniu bardziej głębokich, zaawansowanych stopni relaksu.

1. **Zewnętrzne rozluźnienie**, na które składa się odprężenie mięśni, likwidacja wewnętrznych i zewnętrznych blokad mięśni, stawów i tkanki kostnej.

2. **Bezmyślenie**. Osiągnięcie tego stanu pozwala zatrzymać strumień myśli, przerwać niekończący się dialog wewnętrzny.

3. **Odrętwienie**. Osiągamy je, przenosząc granice zewnętrznego relaksu do wewnątrz i osiągnięcia bezmyślenia, by przekształcić je w jakościowo nowy stan.

4. **Pustka** pojawia się wtedy, gdy w stanie odrętwienia gasną resztki odczuć i myśli, zatraca się poczucie własnego ciała, gdy w końcu znikają osobiste sygnały – przejawy naszej indywidualności.

Ulokujmy się wygodnie, by nikt i nic nam nie przeszkadzało.
Pierwszy etap. To rozluźnienie centrów napięcia (opisane powyżej).
Kolejny krok w stan rozluźnienia – to mentalne rozbieranie. Ubranie
stanowi jedną z barier oddzielających człowieka od otaczającego go
świata. Podczas mentalnego rozbierania się likwidujecie wewnętrzną
barierę oddzielającą ciało od zewnętrznych strumieni energetycznych.

Po mentalnym uwolnieniu się od odzieży na ciele pozostaje jeszcze
cienka brudna warstwa emocji i negatywnych przeżyć. Wyobraźcie sobie, jak odwarstwia się i płatami odpada od skóry. Pojawia się uczucie
pozbycia się wewnętrznych napięć i reakcji chorobowych.

Na tym kończy się pierwszy etap rozluźnienia.

Drugi etap – osiągnięcie stanu bezmyślenia. Należy wyłączyć dialog
wewnętrzny i rozluźnić mózg.

Odłączenie mózgu

Ciało jest już rozluźnione. Teraz skierujmy uwagę na trzecie
centrum napięcia – u podstawy szyi. Jeśli skupimy się na tym
odcinku i w myśli odliczymy najpierw do 12, potem do 18, następnie
do 36 – wkrótce nauczymy się skupiać uwagę na tym punkcie. Gdy
świadomość będzie skoncentrowana u podstawy szyi, powstanie odczucie, że z przodu, na ramionach i w górnej części klatki piersiowej
leży miękki obłoczek.

Uwaga! Jest to „przestrzeń naszych myśli".

Wyobraźmy sobie, że głowa jest orzechem. Kości czaszki są skorupą, a mózg – jądrem. Skorupa orzecha chroni jądro (mózg) przed
wpływem czynników zewnętrznych. Mamy wrażenie, że mózg żyje samodzielnie i zaczynamy go odczuwać – jego objętość, a nawet ciężar.

Kolejny etap – wyobraźmy sobie, że wyłączamy mózg. Posiada on
trzy wirtualne wyłączniki: w punkcie między brwiami, w punkcie u pod-

stawy czaszki oraz na czubku głowy (**rys. 50**). Mentalnie naciskamy wyłączniki i wyobrażamy sobie, że w głowie rozłączają się łańcuchy energetyczne. Powstaje nieoczekiwane odczucie – mózg zamiera, ciągła praca, którą braliśmy za proces myślowy – kończy się. Temu stanowi nie towarzyszą jednak żadne negatywne odczucia. Ciało funkcjonuje jak dawniej, a nawet lepiej. Głowa jest pusta, czujemy ciężar własnego mózgu. Myśli płyną jednak bez ustanku, uświadamiamy je sobie w obłoczku na ramionach. Aby powrócić do rzeczywistości, wystarczy tylko otworzyć oczy. Mózg sam się włączy.

Pozostańmy jakiś czas w stanie wyłączenia mózgu – być może po raz pierwszy wtedy poczujemy, że wszystkie troski i kłopoty schodzą na dalszy plan. W ciele czujemy spokój, pustkę i bezmyślenie. Osiągnęliśmy drugi stopień rozluźnienia.

Trzeci etap – odrętwienie. Tradycyjnie sądzimy, że szkielet jest twardym tworem. Jednakże kości, podobnie jak mięśnie, można rozluźniać

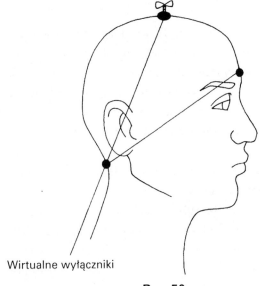

Wirtualne wyłączniki

Rys. 50

i naprężać. Amplituda ich naprężania – rozluźniania jest znacznie mniejsza niż tkanki mięśniowej, możemy ją prześledzić tylko wtedy, gdy skupimy się na samoobserwacji.

Skoncentrujmy się na odczuciach płynących z **kości nóg**. Nabierzmy powietrza, wyobrażając sobie, że wdech wypełnia stopy, golenie, kości biodrowe... Wyobraźmy sobie, że jest wciągany przez tkankę kostną ze wszystkich stron jednocześnie, co przypomina wchłanianie wody przez suchą gąbkę.

Poczujemy, że kości zaczynają się powoli rozluźniać i wypełniać ciepłem. Stopniowo w kościach rozlewa się głębokie odprężenie, znacznie większe niż w mięśniach. Relaks kości powoduje rozluźnienie przylegających do nich wszystkich tkanek.

Po odprężeniu nóg przenieśmy uwagę na **kości miednicy**. Wdychamy powietrze kośćmi miednicy przez skórę i mięśnie. Pozwalamy im wypełnić się energią wdechu i rozluźnić się.

Skupiamy się teraz na **kręgosłupie**. Wykonajcie kilka wdechów i wydechów i wyobraźcie sobie, że wdech poprzez potylicę w postaci fali wlewa się do kręgosłupa, przechodzi przez całą jego długość i wypływa dołem, przez kość ogonową.

Teraz oddychajmy przez kość ogonową i unośmy falę oddechu w górę ku potylicy. To ćwiczenie oddechowe pomoże odczuć kręgosłup na całej jego długości: od potylicy do kości ogonowej.

Fale oddechów płyną po kręgach, wypełniają tkankę kostną. Stopniowo cały kręgosłup wypełnia odprężenie. Ciało nieruchomieje w błogiej niemocy. Fala rozluźnienia wypełnia żebra, kości ramion, rąk...

Skierujmy uwagę na potylicę. Wdychamy powietrze kośćmi potylicy i czujemy, że wdech wypełnia kości głowy, a po nich dzięki temu rozlewa się odprężenie.

Myśli wciąż płyną w przestrzeni na ramionach, a w miejscu głowy czujemy coś przypominającego powietrzny balonik na nitce. Wydaje się, że głowa jest lekka, pusta i delikatnie kołysze się na łodyżce szyi. Rozluźnione komórki mózgu wchłaniają życiodajną, ożywczą siłę spokoju. W relaksie wypełniającym ciało, głowę, mózg powstaje harmonia, w której na choroby po prostu nie ma miejsca. Program tworzy się w poświadomości, gdy rozluźnienie aktywizuje siły obronne organizmu i zwiększa przeciwdziałanie chorobom. Teraz wystarczy głęboki relaks, by móc stworzyć barierę ochronną przed chorobą.

Ostatni etap – to *etap czwarty*. Świadomość rozluźnia się wraz z ciałem. Komuś postronnemu może się wydawać, że człowiek po prostu zasnął. We śnie organizm sam siebie naprawia. Odbudowuje dobre samopoczucie.

Jednakże sen jest stanem pasywnym. Ważne jest utrzymanie się na granicy między zasypianiem i obserwacją siebie. Początkujący mają do czynienia z takim stanem: świadomość jest wyłączona, a człowiek jakby wali się w ciemność nieświadomego, by następnie wynurzyć się na światło dzienne. To tzw. „huśtawka" – stan przejściowy między głębokim snem a pustką bezmyślenia. Należy zapamiętywać wynurzanie się ze snu i myślą dostrzegać, że następuje okres przejawionego postrzegania.

**Głęboki relaks pomoże odbudować
równowagę wewnętrzną i harmonię!**

POWSTAŃ ZE SNU

Przebudzenie

Rano, budząc się, jesteśmy rozluźnieni po słodkiej, błogiej niemocy snu. A tu trzeba wstać, nowy dzień wymaga od nas aktywności... Zwykle po nocy ciało jest jeszcze odrętwiałe, ale przecież każdy wie, że stopniowo senność i rozluźnienie miną. Wielu ludzi zaczyna dzień od gimnastyki – to ich orzeźwia, „ożywia" krew. Jest to oczywiście racjonalny i korzystny dla zdrowia początek dnia. Często jednak ludzie wynajdują sobie preteksty, aby przekonać samych siebie, że właśnie dziś nie trzeba ćwiczyć.

Jeśli nie mamy ochoty na poranną gimnastykę, możemy ćwiczyć specjalne metody samooddziaływania. Po przebudzeniu siądźcie i rozetrzyjcie palcami małżowiny uszne, w taki sposób, jakbyście przecierali cienkie płótno. Rozcieranie stymuluje aktywne punkty, których na uszach jest bardzo dużo.

Po rozcieraniu kilkakrotnie naciskajcie i puszczajcie chrząstki otaczające otwory uszne.

Następny krok – masaż oczu. Przyłóżcie opuszki palców do powiek (oczy zamknięte) i głaszczcie je miękkimi ruchami, masujcie, ostrożnie naciskając na gałki oczne. To ćwiczenie stymuluje wzrok i jednocześnie reguluje apetyt, ponieważ na powiekach znajdują się punkty kierujące nim.

Przeciąganie się

T rzeba umieć się przeciągać. Główne zadanie przeciągania – to rozciągnięcie mięśni, aktywizacja prądu krwi, likwidacja zjawisk zastoju. Zróbcie głęboki wdech, a wraz z nim podnieście ręce (od boków w górę).

Złączcie dłonie podniesionych rąk i wyobraźcie sobie, że jesteście ciągnięci za ręce w górę, a nogi macie przyklejone do podłoża. Tej myśli towarzyszy realne fizyczne napięcie, które pomoże rozciągnąć mięśnie ciała, kręgosłup, klatkę piersiową, mięśnie tłoczni brzusznej...

Mięśnie tułowia i nóg naciągają się i wtedy robicie wydech w przestrzeń przed sobą. Razem z wdechem opuszczacie ręce do poziomu ramion. Utrzymujcie je poziomo, równolegle do podłogi.

Na wdechu uwypuklijcie klatkę piersiową i jednocześnie, pokonując mentalny opór, z wysiłkiem opuśćcie ręce.

Wdech i opuszczanie rąk muszą odbywać się jednocześnie. Klatkę piersiową wypełnia wdech, a ręce dotykają się opuszkami palców w okolicy miednicy (**rys. 51**).

Teraz znowu unieście ręce od boków w górę i powtórzcie pierwszy etap ćwiczenia.

Cały cykl przeciągania można powtarzać kilkakrotnie. Kontrolujcie swoje samopoczucie i przy pierwszych objawach dyskomfortu w głowie lub piersi przerwijcie ćwiczenia i powoli spokojnie pooddychajcie.

W tym celu ręce – dłońmi w górę – ułóżcie na poziomie miednicy i zróbcie pełny wdech „w kilku dawkach". Pierwszy krótki wdech łączy się z podniesieniem rąk od miednicy do pępka. Następna porcja wdechu – i ręce unoszą się do splotu słonecznego. Wdech kończymy jednoczesnym podniesieniem rąk do poziomu obojczyka. Zatrzymujemy oddech na pięć – osiem uderzeń serca i robimy powolny wydech. Ręce opuszczamy do miednicy.

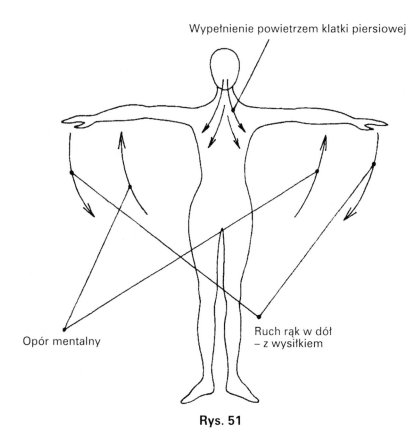

Wypełnienie powietrzem klatki piersiowej

Opór mentalny

Ruch rąk w dół
– z wysiłkiem

Rys. 51

To ćwiczenie można powtarzać pięć – siedem razy, w powolnym tempie.

108 kroków

Według autora to jeden z najbardziej efektywnych sposobów aktywizacji wewnętrznej siły i hartowania organizmu. Należy odkręcić zimną wodę i puścić ją tak, żeby nie od razu wpadała do otworu odpływowego, ale zatrzymywała się w wannie i jej warstwa miała grubość około stopy. Woda oczywiście nie musi być w wannie, można nalać ją do pojemnika o płaskim dnie. Teraz w wodzie trzeba zrobić 108 kroków. Nie chodzi o to, by drobić, kroczyć należy spokojnie, miarowo i rytmicznie. W myśli powinno się powtarzać formuły słowne, typu: „Jestem zdrowy, choroby odchodzą, uwalniam się od dolegliwości...". Takie frazy autosugestii każdy może ułożyć sobie sam.

Obmywanie dla zdrowia

P oranne mycie można przeprowadzać w tradycyjny sposób, ale można także przekształcić je w szczególny oczyszczający i uzdrawiający rytuał. W takim wypadku zabiegi wodne będą najbardziej korzystne. Trzeba zapamiętać podstawową zasadę: z jakim nastawieniem i w jakim nastroju zaczniecie się myć, taki nastrój będzie wam towarzyszył cały dzień. Mistyczna siła wody utrwala w strukturach informacyjnych psychiki taki stan duchowy i fizyczny, z jakim zaczynacie obmywanie.

Zwykłe umycie się pod prysznicem nie przyniesie pożądanego oczyszczenia. Gdy jednak wyobrazicie sobie, że troski i kłopoty znajdują się na czubku głowy, i gdy zaczniecie myśleć o tym, że strumienie wody zmywają cały psychologiczny i informacyjny brud, to efektywność mycia wzrośnie wielokrotnie. Ludzie wierzący mogą odmówić modlitwę, żeby przekształcić zwykłe mycie w obmywanie, aby poranne ablucje stały się oczyszczającym rytuałem. Nie wolno odmawiać modlitwy pospiesznie, modlić trzeba się sercem, czując każde wypowiadane słowo. Wszyscy ci, którzy dążą do odrodzenia się pradawnej wiedzy i doświadczenia przodków, mogą wykorzystać prastary tekst zamawiania stwarzający pożądane nastawienie i nastrój:

Wodo, wodziczko, zmyj to, co szpetne,
Umyj policzki, oczyść mą głowę, napój me ciało...
Osłoń me serce, obmyj ramiona.
Swym wzburzonym strumieniem odrzuć ode mnie wszelkie zło.
Pluśnij i zmyj, co niepotrzebnie męczy,
Zmyj wszelkie choroby, jak zmywasz pianę.
Niech słońca promyk będzie moim kluczem.
Niech dobro triumfuje nad złem.

Dzięki takiemu zaklinaniu rodzi się w nas poczucie, że woda wymywa z ciała i umysłu całą ciemność, brud, złe emocje, a w naszym wnętrzu pojawia się czystość, radość i lekkość.

Zimno i ciepło

Zarówno energia ciepła, jak i energia zimna w równym stopniu mogą wywierać na człowieka dobroczynny wpływ. Trzeba zapamiętać tę zasadę.

Parzący chłód i przenikające ciepło – leczą. Przenikający chłód i parzące ciepło – zabijają.

Parzący chłód – to krótkotrwałe działanie zimna, np. podczas oblewania lodowatą wodą. Swego czasu pojawiło się wielu zwolenników nauki P. K. Iwanowa głoszącego, że życie w harmonii z przyrodą pozwoli człowiekowi łatwo znosić zarówno zimno, jak i gorąco. P. K. Iwanow jest tego żywym dowodem. Zawsze chodził obnażony, czy to w upalny dzień, czy w siarczysty mróz.

Nie nawołuję do naśladownictwa. Mam jednak pewność, że zakończenie porannego obmywania uderzeniem zimnego strumienia wody wzmacnia układ immunologiczny, poprawia nastrój i korzystnie wpływa na ogólne samopoczucie.

Najlepiej, jeśli zimą wyniesiemy na mróz wodę przeznaczoną do porannego mycia (np. na balkon czy przed dom). Przez noc, pod wpływem zimowego chłodu, woda ulegnie przestrukturyzowaniu, nasyci się energią nieba i ziemi. Latem wodę też można wystawiać na noc, by stała pod odkrytym niebem, a tuż przed obmywaniem warto wrzucić do niej kilka kostek lodu.

Nie wolno od razu wylać na siebie całego wiadra wody. Nie będzie w tym większego sensu. Mogą przydarzyć się nawet skurcz naczyń czy inne nieprzyjemne dolegliwości. Zacznijcie od oblewania wodą nóg – od bioder w dół. Ciężar ciała przenieście na jedną nogę, a drugą rozluźnijcie i polejcie na nią z góry zimną wodę. Rozluźnione mięśnie reagują na chłód znacznie spokojniej, niż napięte. Potem zmieńcie nogę.

Teraz oblejcie ręce – od ramion do nadgarstków. Przypominam, że muszą być rozluźnione.

Gdy już obmyjecie ręce i nogi, pluśnijcie kilka garści wody w okolice serca. A potem można już wylać na siebie wiadro zimnej wody. Nie tak jednak, by woda chlusnęła w dół; przeciągnijcie tę chwilę w taki sposób, by woda lała się na ciało przez kilka sekund. Aż zaprze wam od tego dech, ale nie wycierajcie się od razu. Postójcie spokojnie, wsłuchując się w swe odczucia. Z głębi ciała do zewnętrznych powłok podnosi się fala ciepła, energia w postaci potężnej fali przepływa od nóg ku głowie i z głowy do nóg.

Można wykonać ćwiczenie: złączyć opuszki palców przed klatką piersiową, łokcie w bok, oczy zamknięte. Skoncentrujcie uwagę na odczuciach. Poczujecie, że fala wewnętrznej energii i ciepła podporządkowuje się waszej woli i możecie kierować ją na konkretną część ciała. To ćwiczenie pomaga trenować komórki skóry, mięśni gładkich i naczyń w ściskaniu – rozciąganiu.

Przed oblewaniem można przeprowadzić mentalne autonastawienie: „Teraz poczuję, jak parzące zimno dotyka mojej skóry i to przyniesie mi radość i zdrowie... Naczynia krwionośne oczyszczają się, ich ścianki są sprężyste, elastyczne, serce pracuje pewnie i równomiernie. Ciało wypełnia się wewnętrzną siłą, rześkością i zdrowiem...".

W układaniu takich tekstów jest wielka przestrzeń dla twórczości własnej. Każdy może stworzyć swoje autonastawienia.

Ważna informacja uzupełniająca: po oblewaniu zimną wodą trzeba koniecznie aktywnie się poruszać. Najlepiej chodzić około dwudziestu do trzydziestu minut... Krew, która po uderzeniu zimna napłynęła do skóry, stopniowo będzie odpływać do narządów wewnętrznych – wtedy może pojawić się uczucie marznięcia. Energiczny marsz rozprowadzi ciepło po ciele i zatrzyma je w nim na cały dzień.

GESTY SIŁY

Praktyki samodoskonalenia różnych kultur i narodów posiadają swoje własne i oryginalne sposoby i metody. Szczególne miejsce wśród nich zajmują gesty siły. Zestaw gestów, zwanych przez Zachód mudrami, jest różnorodny. Wykorzystując je, możemy koncentrować się na działaniu myśli lub ciała, osiągnąć stan głębokiego relaksu itp. Dzięki nim możliwa jest szybka regeneracja sił po ciężkim dniu pracy, walka z dolegliwościami, polepszenie stanu psychicznego. Uzdrawiające gesty szczególne ważne są w życiu codziennym. Kilka gestów przytaczamy poniżej.

Pierwszy gest

Wykonujemy go na stojąco. Nogi, nieco ugięte w kolanach, rozstawione są na szerokość ramion, ręce zgięte w łokciach, przedramiona równolegle do podłogi. Palce zgięte, przyciśnięte opuszkami do dłoni. Tylko opuszki obu kciuków stykają się delikatnie – nie wolno ich do siebie mocno przyciskać. Oczy zamknięte. Skoncentrujmy uwagę na dotyku opuszek kciuków. Po połączeniu opuszek kciuków ciało stopniowo zacznie się kołysać w tył i w przód, jak wahadło. Ruch powstaje jakby sam z siebie. Kołysanie uspokaja, odgradza od zewnętrznych zakłóceń. Nic, co jest wokół, nas nie dotyczy. Potem pojawia się ciepło. Najpierw pulsuje w punkcie połączenia kciuków,

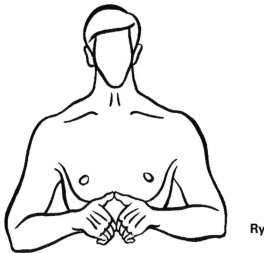

Rys. 52

potem rozchodzi się na przedramiona obu rąk, wypełnia łokcie i dochodzi do ramion. Jeśli będziemy kontynuować ten gest siły, ciepło wypełni całe ciało, aż dojdzie do stóp. W całym ciele pojawi się uczucie przyjemnego, rozluźniającego ciepła, a w stopach – gorąca. Będzie ono tym silniejsze, im dłużej będziemy stać w pozycji pierwszego gestu siły. Gdy gorąco w stopach będzie już bardzo wielkie, prawie niemożliwe do wytrzymania, przerywamy ćwiczenie **(rys. 52)**.

Drugi gest siły

Postawa wyjściowa jest taka, jak przy pierwszym geście siły. Przypomina pierwszą, z tą różnicą, że dłoń prawej ręki nakrywa od góry zaciśnięte w pięść palce lewej ręki; łokcie odsunięte od ciała, oczy zamknięte. Opuszki kciuków są złączone, oba palce skierowane ku mostkowi. Koncentrujemy uwagę na wrażeniach lewej strony ciała. Podczas wykonywania tego ćwiczenia nie dojdzie do kołysania. Pojawi

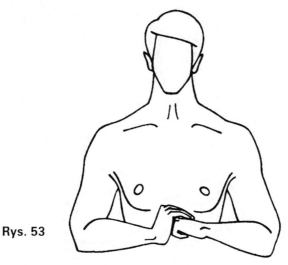

Rys. 53

się za to nieoczekiwane i nieznane dotąd uczucie, jakby w lewej części ciała otwierały się kanały energetyczne, a miękkie, ożywcze ciepło falą unosi się od lewej stopy do lewego kolana, potem do lewej części stawu biodrowego, biegnie wzdłuż lewego boku i ręki, wypełnia lewą część szyi i takąż połowę głowy. Gdy ciepło wypełni lewą część głowy, pojawi się pewne odczucie. Lewą połowę ciała wypełnia pulsujący strumień „wewnętrznej wody", płynącej energetycznymi magistralami. Lewa część ciała jest ciepła, ogrzana wewnętrznym ruchem energii, w prawej nie zachodzą żadne zmiany. Powstaje odczucie swobodnego ruchu „wewnętrznej wody" w lewej połowie ciała. Serce bije mocno, z łatwością, rytmicznie **(rys. 53)**.

Trzeci gest siły

J est powtórzeniem drugiego – z tą różnicą, że zaciśniętą pięść prawej ręki przykrywamy lewą dłonią. Fala odczuć powtarza się – tym razem po prawej stronie ciała.

Teraz obie połowy ciała, prawa i lewa, wypełnione są energią i ciepłem. Jednakże między nimi pozostaje niedostrzegalna i niewyczuwalna bariera – jakby cienka przezroczysta płaszczyzna rozdzieliła ciało na dwie części.

Czwarty gest siły

S toimy tak samo, nogi na szerokość ramion, ręce zgięte w łokciach, dłonie złączone, ściśle przylegające jedna do drugiej, palce ku górze. Oczy zamknięte, a uwaga skupiona na odczuciach środkowej linii ciała. Ciało znów zaczyna się kołysać, pojawia się spokój i oderwanie od zewnętrznych czynników niepotrzebnie absorbujących uwagę. Skoncentrujmy uwagę na wrażeniach płynących z mostka – wkrótce poczujemy ciepło, które delikatnie, w postaci strużki, sączy się w górę i w dół wzdłuż środkowej linii ciała. W dole ciepło sięga wzgórka łonowego, wnika w głąb ciała, sączy się po kroczu i podnosi po zewnętrznej części kręgosłupa. Gdy energetyczne strumyczki z góry i z dołu połączą się na kręgosłupie, zniknie poczucie bariery rozdzielającej ciało na dwie połowy. Rytm pulsowania energii w kanałach i meridianach staje się wspólny dla obu połówek ciała. Pozostaje ogólny rytm pulsowania energii płynącej po kanałach i meridianach (**rys. 54**).

Rys. 54

123

Oddech „Lotos"

Opanowanie praktyki samouzdrawiania pomoże wzmocnić wewnętrzną energetykę. Żeby utrzymać równowagę ducha, być zawsze w dobrej formie, umiejętnie wykorzystać swój potencjał, trzeba nauczyć organizm uzupełniania zapasów energii. Opanowanie techniki uzupełniania wewnętrznych zapasów oznacza wzmocnienie siebie oraz zamknięcie furtki chorobom. Najprostszym, dostępnym dla każdego i jednocześnie bardzo efektywnym sposobem energetycznego doładowania jest oddech. Proponuję swoją autorską technikę oddechową, sprawdzoną doświadczeniem tysięcy ćwiczących, którą nazwałem „Lotos". Technika „Lotos" jest efektywnym i skutecznym środkiem oczyszczenia organizmu z negatywnych stanów energetycznych. Ćwiczenia te poprawiają napełnienie ciała energią, normalizują reakcje układu krwionośnego, harmonizują rytm serca, stymulują pracę płuc i oskrzeli, przywracają dobre samopoczucie i zdolność do pracy.

- Oto wyjściowa pozycja dla początkowego cyklu oddechu „Lotos": nogi rozstawiamy nieco szerzej niż obrys ramion, lekko zgięte w kolanach, palce stóp skierowane do wnętrza; plecy proste, dłonie przed brzuchem na poziomie splotu słonecznego; końce palców wskazującego i kciuka obu rąk złożone w taki sposób, by między nimi powstał romb z wyciągniętym ostrym kątem skierowanym w dół. Taką figurę z palców tworzymy w odległości kilku centymetrów od ciała, na poziomie górnej części brzucha; łokcie rozłożone (**rys. 55**).
- Powoli nabierajmy powietrza, wpuszczając je cienką strugą i jednocześnie podnieśmy skierowane do ciała otwarte dłonie, do poziomu ramion. Ręce zgięte w łokciach, przyciśnięte do boków, nadgarstki podniesione ku ramionom, palce w górze, dłonie odwrócone. To faza zakończenia wdechu (**rys. 56**).
- Rozluźnijmy mięśnie brzucha, nadymając go, wciągnijmy jeszcze małą porcję powietrza. Poczujemy napięcie w górze płuc. Na krót-

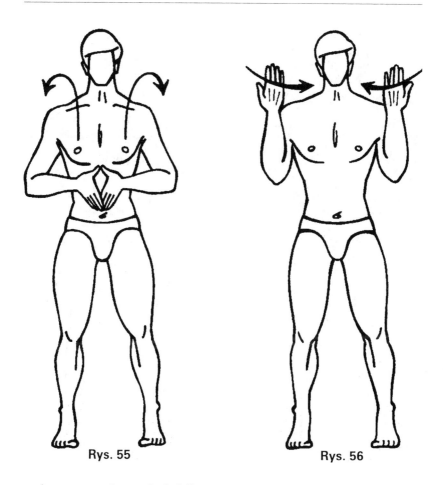

Rys. 55   Rys. 56

ko zatrzymajmy wdech i liczmy w myśli uderzenia serca. Wytrzymajmy w tym stanie 8–10 uderzeń.

- Potem powoli zróbmy wydech skierowany w dół. Niech wydechowi towarzyszy praca rąk. Ściskajmy wydech rękami niczym sprężystą piłkę w dole brzucha, nieco powyżej wzgórka łonowego **(rys. 57)**.

- I znów wdech. Aktywnie pomagajmy sobie rękami. Wyobraźmy sobie, że zaczepiamy nimi o sprężysty kłębek wydechu i naciągamy go na serce **(rys. 58)**.

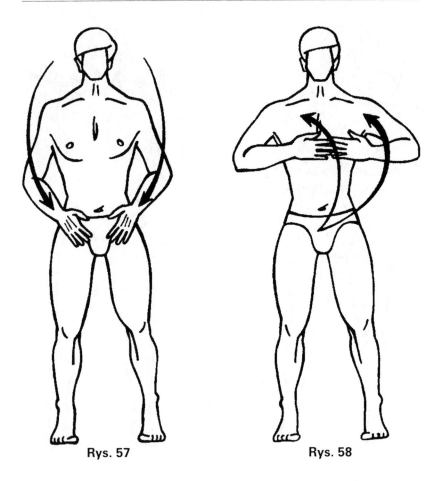

Rys. 57   Rys. 58

- Zakończenie cyklu: ręce wraz z oddechem podnoszą się do podstawy szyi, łączą się na krzyż; nadgarstki na poziomie tarczycy **(rys. 59)**.
- Cykl oddechowy kończymy powolnym, płynnym wydechem z dźwiękiem „Sju-u-u". W tym celu język zwijamy w trąbkę i przyciskamy do podniebienia, usta zaokrąglają się i dźwięk przypomina cienki świst. Wydech skierowany jest na dół. Ręce towarzyszą wydechowi, powoli prostują się do przodu, nogi lekko uginają się w kolanach,

brzuch wciąga się i wyrzuca resztki powietrza z płuc, ramiona zaokrąglają się. Końcowa pozycja wydechu wygląda następująco: ręce wyciągnięte do przodu, dłonie równolegle do podłoża, nogi nieco ugięte, stopy równoległe względem siebie. Pozycja ta przypomina postawę gimnastyka, który przed chwilą wykonał skok **(rys. 60).**

• **Zapamiętajmy regułę**: bezwzględnie konieczna jest nieparzysta ilość powtórzeń.

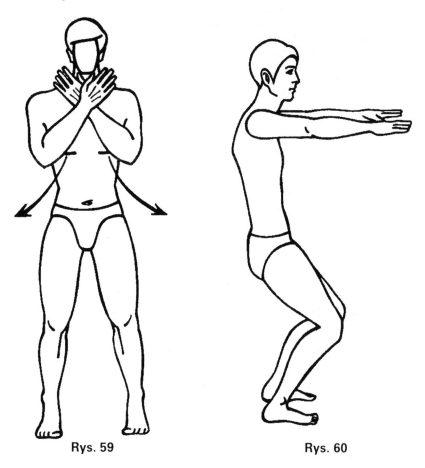

Rys. 59   Rys. 60

- Ściskając powietrze w płucach, wyobrażajmy sobie, że gromadzimy emocjonalny brud, ciemność i wszystko to wyrzucamy z ciała wraz z wydechem.

- Jeśli zaczniemy dzień od ćwiczeń oddechu „Lotos", wykonując na początek 5 cykli, a potem, co tydzień dodając od 3 do 5 cykli (maksymalnie codziennie można wykonać 30 powtórzeń), znacznie poprawimy nasz stan psychiczny, nastrój i ogólne samopoczucie.

Spadek sił

Charakterystyczną cechą współczesnego człowieka jest spadek sił. Siedzący tryb życia, mała ruchliwość, brak chęci wykonania nawet najprostszych ćwiczeń powodują ogólne osłabienie wszystkich funkcji organizmu, obniżenie aktywności mięśniowej, pojawienie się zastojów, co przyczynia się do powstania całego wachlarza chorób.

Proponuję proste i skuteczne ćwiczenia, które pomogą odbudować aktywność kręgosłupa, zlikwidują zastój mięśni, będą przeciwdziałać następstwom pozbawionego ruchu trybu życia.

Rzecz jasna, ćwiczenia te nie są panaceum na wszystko, jednakże dzięki ich regularnemu wykonywaniu przyniosą zadziwiający uzdrawiający rezultat. Ważne, by je wykonywać...

ĆWICZENIA SPRZYJAJĄCE POZBYCIU SIĘ ZASTOJÓW NAGROMADZONYCH W CIELE

- Stańcie prosto, nogi rozwarte na szerokość ramion. Ręce nad głową, zgięte w łokciach, palce splecione. Powoli kręćcie tułowiem w prawo, a łokieć zgiętej ręki ciągnijcie w górę. Naciągają się wszystkie mięśnie prawej połowy ciała. Teraz, także powoli, wróćcie do wyjściowego położenia, a następnie skręcajcie tułów w lewo. Ciągnijcie łokieć lewej ręki w górę aż do naciągnięcia mięśni lewej połowy ciała (rys. 61).

• Postawa wyjściowa jest taka jak w poprzednim ćwiczeniu. Skręcacie tułów w prawo i łokieć prawej ręki ciągniecie do pięty lewej nogi aż do naciągnięcia mięśni lewej połowy ciała. Zapamiętujecie ten stan i wracacie do postawy wyjściowej. Teraz skręcacie tułów w lewo i łokieć lewej ręki ciągniecie do pięty prawej nogi. Wykonujcie ćwiczenie aż do naciągnięcia mięśni prawej połowy cia-

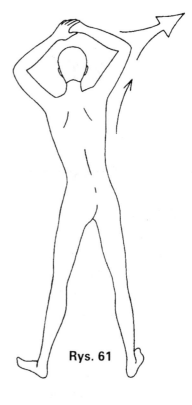

Rys. 61

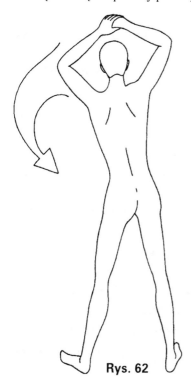

Rys. 62

ła. Zapamiętujecie ten stan i wracacie do położenia wyjściowego.

•**Ważna informacja**: w czasie wykonywania ćwiczeń należy skręcać głowę i zatrzymywać wzrok na wgłębieniu łokcia w zgięciu ręki, którą ciągniecie albo do góry, albo do pięty przeciwstawnej nogi. Umożliwi to głęboką pracę mięśni szyi, zlikwiduje napięcie i wewnętrzne skurcze (**rys. 62**).

ŻYĆ BEZ BÓLU

Dzwonek ostrzegawczy

Ból to uniwersalny sygnał świadczący o zagrożeniu zdrowia. Siła bólu wskazuje na stopień niebezpieczeństwa. Niestety, człowiek szybko przywyka do bólu. Nawet wtedy gdy ból staje się nieodłącznym partnerem życia, sygnalizując stały problem, człowiek często ucieka się tylko do półśrodków – łyka tabletki przeciwbólowe. Ważnym elementem odzyskania zdrowia jest brak zgody na pogodzenie się z bólem, na ukorzenie się przed nim i na blokowanie go.

Negacja bólu jest potężnym orężem walki. Przeprowadźcie eksperyment: dwoma palcami ściśnijcie paznokieć małego palca i naciskajcie aż do pojawienia się silnego bólu. A teraz zróbcie zaporę ze swej woli – barierę negacji bólu. W tym celu głośno lub w myśli wypowiedzcie frazę: „Nie chcę bólu! Neguję go!". Wyobraźcie sobie, że niechęć do odczuwania bólu w postaci strumyczka biegnie bólowi na spotkanie i gasi nieprzyjemne odczucia.

Stworzenie wewnętrznej zapory przed bólem zmienia stosunek do niego. Wcześniej musieliście znosić ból, a teraz go odrzucacie.

Podczas odrzucania bólu nie wolno dopuszczać do siebie negatywnych emocji w postaci rozdrażnienia czy gniewu.

Głębokie rozluźnienie, likwidacja zastojów, skurczów w ciele i psychice, koncentracja uwagi na negacji bólu – to główne warunki walki z nim.

Przeciwdziałanie bólowi

Zasady przeciwdziałania bólowi:

1. Znajdźcie miejsce przejawiania się bólu, określcie jego granice, zrozumcie, że ból rodzi w was: słabość, rozdrażnienie, pustkę, depresję lub chęć przeciwdziałania jej, dążenie do ponownego uzyskania komfortowego stanu...

2. Zrozumcie, dlaczego znosicie ból. Wysiłkiem woli stwórzcie odczucie potężnego wewnętrznego protestu.

3. Odrzućcie gniew i rozdrażnienie. Rozluźnijcie tylną część szyi i potylicy. Poczujecie, jak gasną negatywne emocje. Od czasu do czasu wracajcie myślą do tych obszarów, ponieważ mogą one same z siebie napiąć się, co przełoży się na nasilenie rozdrażnienia i gniewu.

4. Nie oczekujcie natychmiastowego powodzenia. Wtedy przyjdzie efekt.

5. Słuchajcie chorego miejsca. Zacznijcie mentalnie je rozluźniać, pomagając sobie słowami: „Punkt bólu rozluźnia się, ból przechodzi, gaśnie...". Im więcej twórczości własnej włożycie w powstanie słownych fraz, tym szybciej zadziałają.

6. Rozluźniwszy chory odcinek, wystrzelcie impuls negacji w ognisko bólu. Powtarzajcie to tyle razy, ile będzie konieczne... Na zakończenie całej procedury rozluźnijcie się...

OSTRZEŻENIE!

Proponowane ćwiczenia pomogą uspokoić ból po operacji lub w okresie rehabilitacji, np. po wypadku.

Tym sposobem pod żadnym pozorem nie można likwidować bólu sygnalizującego zagrożenie życia czy możliwe urazy. Nie można stosować tych samoznieczulających ćwiczeń przy nagłych, silnych, ostrych bólach nieznanego pochodzenia. Świadczą one o gwałtownym narastaniu niszczycielskich zjawisk w organizmie. W takiej sytuacji potrzebna jest specjalistyczna pomoc.

Korzeń bólu

P rzyczyny bólu mogą być najróżniejsze, jednakże niezależnie od przejawów, jego różne rodzaje łączy jedno – korzeń bólu.
Gdy pojawia się ból, tworzy odżywiający go korzeń, który przenika otaczające tkanki. Wyraźnie przejawiające się jądro bólu otacza szczególna „aureola" – obłok mniej intensywnych bólowych odczuć. Jeśli nie zaczniemy walczyć z bólem, wkrótce może rozprzestrzenić się na całe ciało.

W życiu codziennym z bólem zwykle walczy się za pomocą środków przeciwbólowych. Jednakże większość z nich potrafi tylko zatrzymać ból. A tymczasem przyczyny bólu i jego korzeń pozostają nietknięte. Korzeń bólu nie posiada anatomicznego przejawu, a przecież należy go zlikwidować!

Wyobraźcie sobie, że z opuszek palców wydostają się energetyczne promienie. W celu neutralizacji bólu i jego zlikwidowania powoli wprowadzacie energetyczne przedłużenia palców w bolące miejsce. Promieniami – palcami poczujecie węzeł bólu. Obmacajcie go. Najczęściej odczuwamy go jako zimne, śliskie zgęstnienie – skrzep.

Gdy określicie granicę skrzepu bólu, palcami – promieniami zaczynacie ściskać go w niewielką bryłę. Teraz puszczacie energetyczne przedłużenia palców pod bryłkę bólu – tam poczujecie korzeń. Uchodzi on w głąb ciała na podobieństwo nitki. Pociągnijcie. Podczas jego wyciągania naprężają się ręce. Korzeń z trudem wychodzi z tkanek, stawia opór. Chwyćcie go mocniej i zdecydowanym ruchem wyciągnijcie (**rys. 63**).

Pojawi się wyraźne odczucie, że do palców i całej dłoni przykleiły się bryłki jakiegoś niewidocznego brudu. Zrzućmy go. Najlepiej to zrobić, podstawiając spody i wierzchy dłoni pod strumień zimnej wody bijącej z kranu. Zimny strumień wody uniesie energetyczny korzeń bólu...

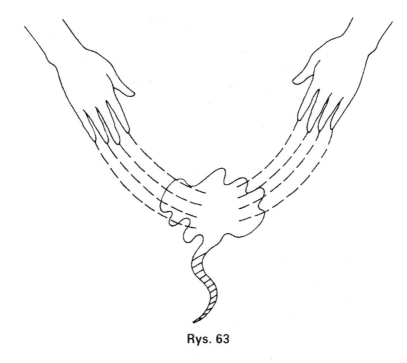

Rys. 63

Efektywność wyrwania korzenia bólu i usunięcia go z organizmu jest tym większa, im wyraźniejsze są obrazy, im wyraziściej wyobrażacie sobie każdy z nich oraz im dokładniej przestrzegacie kolejności etapów pracy.

Punkty – „satelity"

O kreślcie na powierzchni ciała punkt – wyjście aktywnego bólu. Przyłóżcie do niego opuszkę kciuka, a opuszka lekko ugiętego palca środkowego opiszcie okrąg. Palce działają jak cyrkiel, w którym kciuk jest jego nóżką, a palec środkowy rysuje okrąg **(rys. 64)**. Poruszajcie środkowym palcem wokół punktu bólu. Skoncentrujcie uwagę

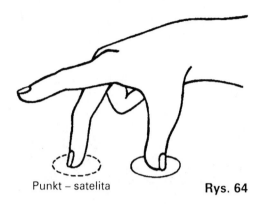

Punkt – satelita   **Rys. 64**

na odczuciach opuszki środkowego palca. Jeśli poruszacie palcem powoli, ale uważnie słuchacie przy tym odczuć, poczujecie, że palec dosłownie zaczepia się o niewidzialną przeszkodę. To są właśnie punkty – **„satelity"**. Są one połączone energoinformacyjnymi kanałami z głównym punktem przejawu bólu.

Oto jak przeprowadzać działanie terapeutyczne. Połóżcie opuszkę kciuka na głównym punkcie bólu, a opuszką środkowego palca określcie punkt – „satelitę". Połączcie oba punkty łukiem z palców. Wyobraźcie sobie, że przez palce, niczym przez rurki, energia bólu z podstawowego punktu i z „satelity" w postaci strumyczków biegną sobie na spotkanie i spotykają się wewnątrz łuku z palców. Dwa przeciwne strumienie neutralizują się wzajemnie. Pojawia się energetyczna próżnia, która wyciąga nowe porcje z ognisk bólu... Ból ulega neutralizacji. Potrzymajcie palce kilka minut. Poczujecie, że ból w „satelicie" zniknął, a w punkcie podstawowym znacznie osłabł.

Poruszajcie środkowym palcem po okręgu do następnego punktu – „satelity". Zatrzymajcie go tam i skierujcie naprzeciw siebie strumienie bólu od podstawowego punktu i od „satelity". Po kilku minutach ból w podstawowym punkcie zmniejszy się, a w „satelicie" – zniknie.

Następnie należy opisać środkowym palcem pełny okrąg, znajdując nowe punkty „satelity" i neutralizując przejawy bólu. Zwykle na okręgu znajduje się do sześciu punktów – „satelitów". Gdy trzeba wykręcać rękę, żeby doprowadzić okrąg do końca, można zamienić palce miejscami. Środkowy palec stanie na punkcie podstawowym, a kciuk będzie poruszał się po okręgu. Po zakończeniu pełnego obrotu ból w podstawowym punkcie praktycznie zniknie.

Ważne jest dokładne określenie podstawowego punktu bólu. Na przykład przy bólach stawów punkt ten rozlewa się w postaci plamy i trudno od razu się zorientować, gdzie jest jego centrum. Energetyczne odsłonięcie metodą interwencji psychochirurgicznej (opisano ją w rozdziale „Uniwersalne wpływy") pomoże określić korzeń bólu i znaleźć jego echa.

KRĘGOSŁUP
I UKŁAD KOSTNY

Rozciąganie

Chory kręgosłup – to konsekwencja wyprostowanego chodu człowieka. Według autora tu właśnie leży przyczyna wielu chorób kręgosłupa. Kręgosłup narażony jest na stałe, prawie całodobowe ściskanie i obciążenie, co nieuchronnie wiąże się z deformacjami, stanami chorobowymi i bólem. Jak w takiej sytuacji sobie pomóc? Przecież nie możemy uwolnić się od siły przyciągania ziemskiego, choć jednocześnie chcemy, by kręgosłup pozostał zdrowy i giętki, jak w dzieciństwie.

Metody i środki neurologii i terapii manualnej pomagają uwolnić się od bólu i innych symptomów chorób kręgosłupa. Nie odpowiadają jednak na główne pytanie: jak zlikwidować chroniczne napięcie w strukturach kostnych i rozluźnić kręgosłup, dać mu chwilę oddechu, pomóc się zregenerować?

Metody opisane poniżej rzeczywiście pomogą uwolnić się od chorób kręgosłupa, zażegnać patologiczny rozwój zakłóceń funkcjonalnych. Zaczniemy od opisu sposobów pomocy człowiekowi, który zachorował. To pomoże praktykującym odczuć rozciągnięcie, nauczyć się regulować wysiłek i wykonywać ćwiczenia tak, żeby uzyskać najlepszy rezultat.

Pracę nad regeneracją kręgosłupa najlepiej zacząć od rozluźnienia. Wasz partner leży na brzuchu. Kładziecie mu rękę na krzyżu w taki sposób, żeby staw małego palca łączący się z dłonią był na początku fałdy pośladkowej. Dłoń należy trzymać na krzyżu, wyobrażając sobie, że przylepia się do tkanek, zanurza się, a następnie zrasta się z nimi. Zacznijcie powoli poruszać ręką w przód i w tył. Ręka zlała się z krzyżem partnera i jego miednica podąża za waszą ręką. Zaczyna się miękkie powolne poruszanie się – kołysanie miednicy z jednej strony na drugą. Rozluźnia ono mięśnie pleców i krzyż. Relaks mięśni rozchodzi się na kręgosłup, który też stopniowo się rozluźnia. Kołysanie przeprowadzacie prawą ręką. Lewa w tym czasie dotyka piersiowego odcinka kręgosłupa – po prostu leży na nim. Jednakże nawet taki lekki dotyk pleców utrzymuje odcinek piersiowy w stanie nieruchomym; natomiast dolne odcinki kręgosłupa relaksująco poruszają się z jednej strony na drugą.

Rozciągnięcie

• Prawa ręka opiera się w zgięciu lędźwiowym kręgosłupa. Lewa znajduje się nieco powyżej siódmego kręgu szyjnego. Wykonujecie rękami niewielki wysiłek rozciągający na boki. Silny nacisk spowoduje u waszego partnera mimowolne napięcie mięśniowe i rozciągnięcie skończy się, zanim się zaczęło. Jeśli wysiłek będzie lekki, nieznaczny, mięśnie pozostaną w stanie rozluźnienia i poczujecie, że kręgosłup zaczyna się powoli rozciągać, jakby był z gumy. To samo czuje wasz partner. Powstaje realne odczucie rozciągnięcia kręgosłupa. Wszystkie deformujące napięcia ustępują, kręgosłup stopniowo wyciąga się, rozluźnia, znikają chorobowe, bólowe objawy.

• Następny krok w wykonaniu tego ćwiczenia – to diagonalne rozciąganie. Lewa ręka na łopatce, prawa – na oddalonej od was połowie krzyża. Tak samo jak w przypadku oddziaływania poziomego, zaczynacie rozciąganie, wkładając w to słaby, ledwo zauważalny wysiłek. Ciągnąć należy do momentu pojawienia się u partnera uczucia przyjemnego rozluźnienia w plecach. Wtedy zmieńcie położenie rąk: prawa dotyka bliższej was połówki krzyża, a lewa leży na przeciwległej łopatce. Ułożenie rąk pozwala na stworzenie diagonalnego rozciągającego wysiłku.

• Czas takiego ćwiczenia – do dziesięciu minut (w zależności od napięcia i zmęczenia). Potem partner wstaje powoli i ostrożnie. Gdy już wstanie, pojawi się odczucie, że urósł.

• Rzecz jasna jeden seans nie usunie stanów chorobowych, choć przyniesie czasową ulgę – uwolnienie się od nieprzyjemnych odczuć i niezwykłą lekkość w kręgosłupie. Aby całkowicie wyzdrowieć, trzeba ćwiczyć stale, systematycznie i konsekwentnie (rys. 65).

Okazaliście już pomoc bliskim, a jak teraz pomóc sobie? Zaczniemy od opisu diagonalnego rozciągania. Uklęknijcie na jedno kolano, np. na prawe, lewa noga opiera się na stopie. Bardzo powoli skręcajcie się w lewo. Ręce złączone. Wasze zadanie: prawym łokciem dotknąć lewego kolana.

Człowiek mający zdrowy kręgosłup zdziwi się: cóż to wielkiego! Ale gdy kręgosłup boli, nawet tak proste ruchy mogą okazać się trudne (rys. 66).

• To pierwszy etap ćwiczenia. Powolne wykonywanie ćwiczenia umożliwi stopniową likwidację odczuć chorobowych. Gdy będziecie w stanie wykonywać rozciąganie diagonalne za pomocą skręcania, ćwiczenie będzie można utrudnić. Oprzyjcie lewą rękę na biodrze stojącej na stopie lewej nogi. Po tym, jak prawy łokieć dotknie lewego kolana, lewą ręką naciskajcie lewą nogę, a łokieć prawej ręki starajcie się dociągnąć do maksymalnie oddalonego od was wyobrażonego punktu. Wyjaśnię to na przykładzie. Wykonujecie ćwiczenie na diagonalne rozciąganie i w myśli określacie sobie punkt orienta-

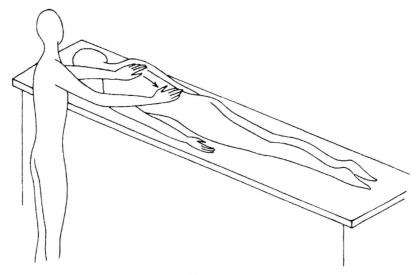

Rys. 65

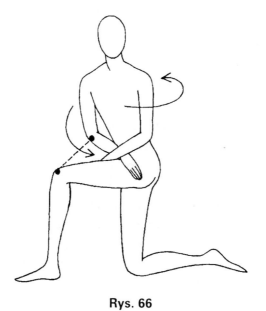

Rys. 66

cyjny: chcę dociągnąć łokieć do przedmiotu stojącego za plecami. Jedną ręką naciskacie biodro, a łokieć drugiej ręki ciągniecie do wyznaczonego punktu – w rezultacie kręgosłup skręca się, a mięśnie pleców rozciągają się diagonalnie.

- Bardzo istotne jest, by to ćwiczenie wykonywać powoli, płynnie, a gdy pojawi się ból, należy je przerwać. Każda próba pokonania bólu może prowadzić do komplikacji. Tylko stopniowe diagonalne rozciąganie pomoże zlikwidować napięcia mięśni, usunąć chorobowe funkcjonalne zakłócenia w pracy kręgosłupa.

- Teraz przed wami najbardziej złożona część – rozciąganie pionowe. Podczas wykonywania ćwiczenia powinniście pamiętać o tym, że waszym sojusznikiem jest stopniowe wykonywanie zadań i równe powolne tempo. Jednocześnie każda próba wykonania ćwiczenia szybko, z wysiłkiem, zamiast do poprawy, doprowadzi do pogorszenia stanu zdrowia. Przypomnijcie sobie, że w czasie pracy z partnerem nawet nieznaczne zwiększenie rozciągającego wysiłku spowoduje mimowolne napięcie mięśni pleców i zlikwiduje rozluźnienie kręgosłupa. Podczas samodzielnej pracy zasady pozostają takie same, tylko ćwiczenia trzeba wykonywać z pomocą obrazu mentalnego.

- Siądźcie przy ścianie lub innej równej pionowej powierzchni. Przysuńcie do niej plecy w taki sposób, żeby kręgosłup się wyprostował – ma być równy i prosty. A teraz wyobraźcie sobie, że wasza głowa jest jak dziecięcy dmuchany balonik wypełniony lekkim gazem. Balonik wyrywa się do góry, a kręgosłup jest nitką utrzymującą balon. Kręgosłup wyciąga się, staje się równy, prosty. To ćwiczenie należy wykonywać stopniowo, powoli i wielokrotnie, gdyż każde intensywne działanie może tylko zaostrzyć stan chorobowy; powolne, miękkie, lekkie rozciąganie przyniesie realną ulgę (**rys. 67**).

- Ktoś może zaoponować, że przecież wystarczy po prostu powisieć na drążku, rozciągając kręgosłup dzięki wadze swego ciała. To nieprawda. Przy takich obciążeniach mięśnie pleców mimowolnie się

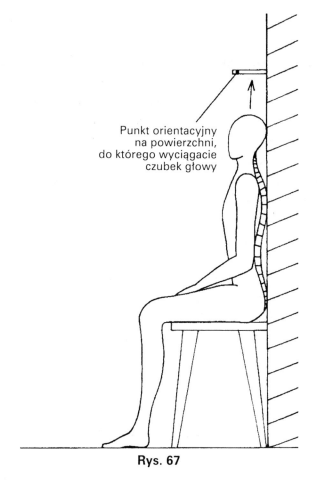

Punkt orientacyjny
na powierzchni,
do którego wyciągacie
czubek głowy

Rys. 67

naprężają i blokują całkowite rozluźnienie. Gdy wyciągacie kręgosłup za pomocą obrazu mentalnego, mięśnie pleców nie napinają
się, lecz naciągają. Zwiększa się przepływ krwi, polepsza się samopoczucie, aktywność mięśniowa pomaga odbudować prawidłowe
położenie kręgów i tak je utrzymać.

* Stworzenie pracującego mentalnego obrazu wielu ludziom może
wydawać się trudne. W rzeczywistości nie trzeba do tego jakiegoś

specjalnego wysiłku. Faktycznie, początkowo może być trudne wyobrażenie sobie w miejscu głowy balonika wypełnionego lekkim gazem. Dlatego zamiast obrazu mentalnego możecie na ścianie (lub innej pionowej powierzchni) zrobić jakiś znak, np. narysować linię kilka centymetrów powyżej głowy. Teraz siądźcie, dokładnie przywrzyjcie plecami do ściany i wyciągajcie czubek głowy do tego znaku. Uzyskacie taki sam efekt, jaki osiągnęlibyście z wykorzystaniem obrazu mentalnego. Różnica polega na tym, że podczas takiej pracy mięśnie mimo wszystko napinają się, a podczas wykorzystania obrazu mentalnego tylko się rozciągają. To doświadczenie pomoże wam poczuć wewnętrzny ruch w mięśniach i kręgosłupie, a odczucie tego umożliwi wam opanowanie pracy z obrazem mentalnym.

Naciąganie mięśni pleców i rozciąganie kręgosłupa jest bardzo dobrym środkiem pomocy przy funkcjonalnych zakłóceniach działalności kręgosłupa i bólach. Powtarzam raz jeszcze: ważna jest systematyczna praca, stopniowa i powolna. Wtedy uda się pokonać chorobę, kręgosłup uwolni się od napięć, przestanie boleć, powrócą także dawna giętkość i lekkość.

„Ślepy kanał"

Kręgosłup – to główna energetyczna magistrala organizmu. Jego budowa jest skomplikowana. Oprócz struktur fizjologicznych mieszczą się w nim także kanały energetyczne. Dla zdrowia człowieka ważny jest tzw. **ślepy kanał.** Jeśli popatrzymy na kręgosłup znajdujący się w ciele, to stwierdzimy, że kanał znajduje się z zewnętrznej strony grzbietu. Został nazwany „ślepym" dlatego, że nie posiada wyjścia z ciała **(rys. 68).** Kanał ten koncentruje i przetwarza zgromadzone w organizmie negatywne informacje.

Człowiek współczesny doświadcza niebywałego natłoku informacji. Ten nadmiar informacji powoduje większe zmęczenie, niż obciążenia fizyczne. W radzeniu sobie z potokami negatywnych informacji pomagają **migdałki, woreczek żółciowy i wyrostek robaczkowy.** Te struktury anatomiczne pełnią funkcję ochronnych barier energoinformacyjnych. Migdałki, woreczek żółciowy i wyrostek robaczkowy zrzucają nadmiar informacyjnego negatywu do „ślepego kanału", który ostatecznie go przetwarza. Po likwidacji jednego z narządów informacyjna bariera ochronna słabnie. Inna rzecz, że obecnie potok informacyjny jest na tyle intensywny, iż narządy – filtry już sobie z nim nie radzą i u większości ludzi „ślepy kanał" jest przeciążony negatywnymi informacjami.

Ponieważ kanał ten dotyka kręgosłupa, podczas jego przepełnienia nieuchronnie powstają zakłócenia w samym kręgosłupie. Najpierw dochodzi do zakłóceń funkcjonalnych, potem do zmian organicznych w kręgosłupie.

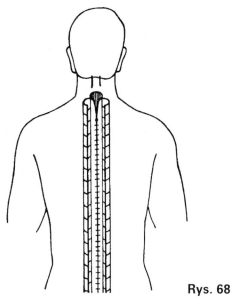

Rys. 68

143

„Ślepy kanał" przechodzi przez całą długość kręgosłupa i wpływa na wszystkie narządy ciała: od mózgu do miednicy małej. Zatrucie brudem informacyjnym zmienia kręgosłup w źródło chorób. Oczyszczenie „ślepego kanału" pomoże uwolnić się od mnóstwa niedomagań, w pierwszym rzędzie ulży w chorobach kręgosłupa, stworzy komfortowe psychoenergetyczne środowisko wewnętrzne.

• Aby samodzielnie przeprowadzić oczyszczenie „ślepego kanału", trzeba przycisnąć kręgosłup do wystającej krawędzi, może to być np. róg ścian w przejściu czy framuga drzwi. Poruszajcie tułowiem w taki sposób, żeby poczuć nacisk rogu na kręgosłup. To pomoże w zapamiętaniu odczuć. Idealny wariant – ustawienie się plecami do słońca, jednak jest on możliwy tylko przy braku zachmurzenia. Jeśli dzień nie jest pogodny, po prostu odwróćcie się plecami do światła lub w tę stronę, gdzie właśnie powinno być widoczne słońce. Najbardziej dogodny czas do pracy ze „ślepym kanałem" – to wschód słońca, gdy energia światła jest jeszcze delikatna, subtelna.

• Skoncentrujcie uwagę na kręgosłupie. Wyobraźcie sobie, że od potylicy do kości ogonowej przebiega zamek błyskawiczny. Rozsuńcie go w myśli. Gdy rozejdą się już boki zamka, pojawi się odczucie, że do wewnętrznej przestrzeni kręgosłupa wlewa się energia słońca. Temu mentalnemu działaniu mogą towarzyszyć nieprzyjemne „zapachy astralne" („zapach astralny" – to zapach nieposiadający realnego źródła. Regułą jest, że pochodzi od negatywnych energetycznych tworów. Zwykle otoczenie nie czuje tego zapachu).

• Wewnątrz kręgosłupa znajduje się wilgotna mgła, stanowiąca świadectwo waszego stanu zdrowia. Jeśli nie cierpicie na aktywną, progresywną chorobę, mgła w kręgosłupie będzie po prostu wilgotna. Jeśli chorujecie, kanał wypełniać będzie gęsta, zwarta czerń.

• Do otwartego kręgosłupa wlewa się wiaterek. Wydmuchuje wilgotną mgłę, wypełnia wewnętrzną przestrzeń kręgosłupa świeżością i czystością. Wewnętrzna powierzchnia kręgosłupa wchłania energię wiatru, niczym sucha gąbka wodę. Potrzymajcie kręgosłup „otwarty", dopóki nie wypełni go świeżość i czystość.

• Teraz niezbędne będzie oczyszczenie „ślepego kanału". Na wewnętrznej powierzchni kanału kręgosłupa mentalnie rozciągnijcie jeszcze jeden zamek błyskawiczny, który zakrywa „ślepy kanał". Brzegi zamka rozchodzą się na boki, niczym poły ubrania. Przedmuchujcie „ślepy kanał" mentalnym wiatrem. Jeśli słońce nie jest wysoko nad horyzontem, można skierować strumień promieni słonecznych do wnętrza „ślepego kanału". Wypalą one brud (**rys. 69**).

• Często u ćwiczących powstaje iluzja szybkiego oczyszczenia „ślepego kanału". Przełączcie uwagę na coś innego, a potem znów skupcie się na „ślepym kanale". W wewnętrznej przestrzeni odkryjecie czarne zgęstnienia – skrzepy – pierwsze porywy wiatru wydmuchały tylko zewnętrzną warstwę ciemności. Przed wami żmudna, mozolna, wytężona praca nad oczyszczeniem „ślepego kanału".

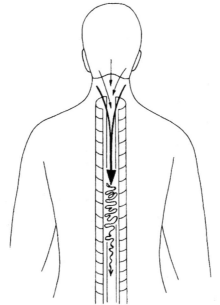

Rys. 69

• Przemyjcie „ślepy kanał" strumieniami światła. Pozostałe skrzepy dokładnie usuńcie, wyrwijcie jak bolące zęby... Bywa i tak, że „ślepy kanał" jest już oczyszczony, wewnątrz panuje lekkość i jasność. Macie wspaniałe samopoczucie... A następnego dnia w „ślepym kanale" znów pojawiają się skrzepy i po wczorajszej lekkości nie ma ani śladu...

• Do przestrzeni „ślepego kanału" zrzucają brud migdałki, woreczek żółciowy i wyrostek robaczkowy. Przepełniony „ślepy kanał" nie przyjmuje już nowych porcji brudu. A do oczyszczonego przechodzi z narządów – filtrów, dopóki nie pozbędą się one nadwyżek. Dlatego należy pracować systematycznie ze „ślepym kanałem". Gdy już kanał i narządy – filtry zostaną oczyszczone, samopoczucie może na krótko ulec pogorszeniu. Organizm przywyka do wewnętrznej czystości. Taki stan trwa do kilku godzin, nie dłużej, potem następuje bardzo szybka poprawa.

Kanały „światowych biegunów"

P raca z kanałami „światowych biegunów" sprzyja efektywnej odnowie kręgosłupa. Kanały położone są na zewnątrz kręgosłupa, mają jednak wpływ i na niego, i na ogólne samopoczucie człowieka.

Odpowiadają one za równowagę w organizmie dwóch światowych sił: *jang* i *jin* – pierwiastka męskiego i żeńskiego, jasnego i ciemnego. W praktykach Tradycji kanały te nazywane są „Sokiem Ziemi" i „Światłem Słońca". Każdy z kanałów jest magistralą, którą płynie energia przypisana odpowiedniemu pierwiastkowi. Stąd też pochodzi nazwa – „światowe bieguny".

Kanały przylegają ściśle do kręgosłupa. Wewnątrz obu kanałów stale trwa ruch energii: w jednym – z góry na dół („Światło Słońca") lub w drugim – z dołu do góry („Sok Ziemi") **(rys. 70).**

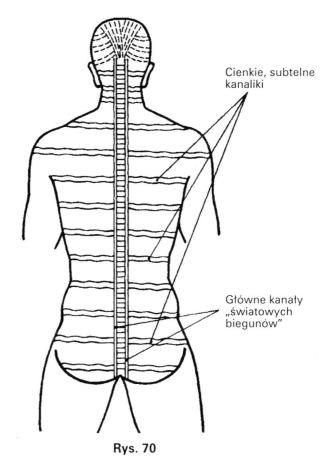

Cienkie, subtelne kanaliki

Główne kanały „światowych biegunów"

Rys. 70

Wiadomo, że strony ciała u mężczyzn i kobiet odpowiadają określonej sile światowej. Lewy kanał u mężczyzn przepuszcza energię „Światło Słońca", a prawy – „Sok Ziemi"; u kobiet natomiast odwrotnie. Tak więc lewym kanałem u mężczyzn płynie – od potylicy do kości ogonowej – energia „Światło Słońca", natomiast prawym – od kości ogonowej do potylicy – energia „Soku Ziemi".

Od kanałów światowych biegunów po całym ciele rozchodzą się cienkie, subtelne kanaliki zapewniające energetyczne doładowanie narządów i układów. Pogorszenie stopnia przewodzenia głównych kanałów spowalnia ruch energii w cienkich subtelnych kanałach – wtedy zdrowie pogarsza się. Zakłócenia w równowadze światowych sił, dominacja jednej nad drugą także wywołują stany chorobowe. Gdy zakłócenie równowagi osiąga poziom krytyczny, powstają złożone, poważne choroby.

Stany chorobowe różnią się od siebie w zależności od przyczyn, które je zrodziły. Na przykład „Światło Słońca" to suchość, gorączka, chorobowe pobudzenie, gwałtowność. „Sok Ziemi" – to dreszcze, potliwość, śluzowate wydzieliny, słabość, stan przygnębienia. Aby określić brak równowagi sił, trzeba powąchać powietrze i wyobrazić sobie, że obwąchujecie wewnętrzny stan kręgosłupa.

Stęchły, nieświeży, gnilny, wilgotny zapach oznacza, że w organizmie przeważa „Sok Ziemi". Suchość, gorąco i pył świadczą o zapachach „Światła Słońca".

Samopomoc polega na odzyskaniu równowagi w kanałach „światowych biegunów". Wyobraźcie sobie, że wraz z wdechem w kanale z góry na dół przepływa migoczący energetyczny balonik. Kończy się wdech, a balonik zatrzymuje się na kości ogonowej. Wydech popycha migoczący balonik kanałem z dołu do góry. Oddechem oczyszczacie kanały magistral i aktywizujecie subtelne kanaliki – wtedy polepsza się energetyczne doładowanie narządów i tkanek, normalizuje się samopoczucie.

Sygnałem do zakończenia pracy jest odczucie wypełnienia i pulsacji w kręgosłupie.

Zaburzenia w stawach

Człowiek posiada mnóstwo połączeń stawowych zapewniających gibkość, zwinność i ruchomość ciała. Jednakże stawy, wcześniej działające bez zarzutu, niszczą się wraz z wiekiem i mogą przekształcić się w mało ruchome skostniałe połączenia będące źródłem ciągłego bólu.

Na temat takich przypadłości istnieje wiele wyjaśnień, ale realnych środków pomocy w takich przypadkach jest, niestety, mało. Coraz więcej ludzi żyje ze zwichniętymi stawami, stawami opuchniętymi, ludzie cierpią z powodu męczących bólów. A zachorowania na stawy nie wynikają tylko z deformacji związanych z wiekiem. Doświadczają ich już młodzi ludzie. Dlaczego? Wyjaśnienia są, ale chorzy na tym nie skorzystają – od samych objaśnień ich stan się nie poprawia.

Metoda opisana poniżej pomoże radzić sobie z bólem i normalizować stawy. Rzecz jasna niemożliwa jest całkowita regeneracja stawów, aż do absolutnego wyzdrowienia. Jest natomiast możliwe uwolnienie od bólu i ograniczonej ruchomości.

Aby pojąć mechanizm oddziaływania tej metody, trzeba najpierw zrozumieć, co zapewnia stawom ruchomość i elastyczność.

Każde połączenie stawowe jest otoczone energetycznym wichrem, przypominającym kulę. W niej znajduje się cała niezbędna informacja o pracy każdego odcinka stawu. Kula energetyczna odgrywa rolę swoistego programowego zabezpieczenia dla stawu. Tak jak w komputerze awaria programu może skutkować nieprzyjemnymi następstwami, tak i w stawie – przesunięcie energetycznej kuli może spowodować choroby tkanki kostnej i deformację stawu (**rys. 71**).

Wyobraźcie sobie wokół kolana niewidzialną kulę. Jej otoczka zawiera informację o tym, jak powinien pracować każdy odcinek stawu oraz staw jako całość. Jeśli kula nie jest przesunięta, każdy odcinek jego otoczki odpowiada określonemu odcinkowi tkanki stawu; staw pracuje prawidłowo, bez zaburzeń i bólu.

Życie jest jednak bardzo złożone i pełne nieoczekiwanych sytuacji. Ludzie przeżywają wstrząsy (w pierwszej kolejności – psychologiczne) wpływające na złożony rysunek energoinformacyjnych wzajemnych oddziaływań w organizmie. W ślad za tym zachodzą zmiany w fizjolo-

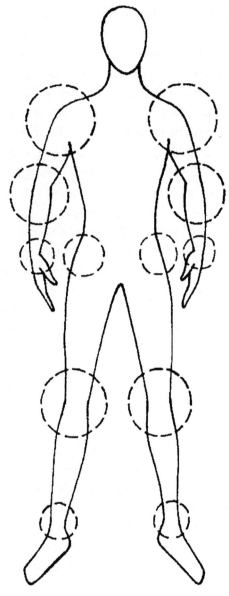

Rys. 71

gii, pojawiają się funkcjonalne zaburzenia w działalności narządów, układów, w tym także stawów.

Przypuszczam, że ta wersja pojawienia się i rozwoju chorób stawów nie jest zgodna z wersją naukową. Jednakże to praktyka jest kryterium prawdy. A praktyka pokazuje, że naprawa zwykłego położenia energoinformacyjnej kuli określonego stawu prowadzi do szybkiej poprawy, a nawet normalizuje pracę stawu. Jest to potwierdzone tysiącami przykładów.

Istota metody polega na tym, żeby energoinformacyjna kula stawu wróciła na swoje miejsce, a wtedy nastąpi odbudowa energetycznego programu działania stawu.

Odbudowa programowej kuli

Mówiliśmy już o metodach pracy z własnym biopolem. Określenie granic energoinformacyjnych kul wokół stawów jest analogiczne do tego, o czym wcześniej była mowa. Powtórzę to raz jeszcze, tym razem z zastosowaniem do konkretnej programowej kuli stawu.

Rozpatrzmy to na przykładzie kolana, jako że jest ono największym i najbardziej zauważalnym połączeniem stawowym. Ustawcie dłonie po obu stronach kolana, powoli przybliżajcie je do skóry i, również powoli, oddalajcie od nogi. Skupcie uwagę na odczuciach dłoni. W pewnym momencie poczujecie, że podczas ruchu „od ciała do ciała" dłonie pokonują sprężystą granicę. To otoczka programowej kuli stawu. Gdy poczujecie granicę, zatrzymajcie ruch dłoni w taki sposób, żeby dotykały niewidocznej, ale wyczuwalnej granicy. Właśnie określiliście energoinformacyjną kulę stawu.

Ustawcie dłonie i rozłóżcie palce, jakby obejmowały kulę. A teraz powoli, ledwo zauważalnymi mikroruchami rąk zacznijcie bujać kulę w różnych płaszczyznach, ustawiając ją na miejscu. Istota tego działania polega na tym, żeby wrócić normalne ustawienie programowej kuli stawu. Gdy już będzie na właściwym miejscu, wszystkie punkty wzajemnego oddziaływania programowej kuli i tkanek stawu połączą się ze sobą. Powstanie odczucie, że wewnątrz stawu ręki czy nogi zacznie się aktywny ruch.

Powstaje pytanie: jak określić prawidłowe położenie programowej kuli i ustawić tę kulę na właściwym miejscu? Najdobitniej zaświadczy o tym ból. Jeśli w stawie zaszły patologiczne zmiany, to ból w tym miejscu ciągle trwa. Zwiększa się lub zmniejsza, ale jest zawsze odczuwalny. Bujanie programowej kuli stawu powoduje albo nasilenie bólu, albo jego osłabienie.

Zwiększenie bólu zachodzi wtedy, gdy energoinformacyjna kula przesuwa się nie w tę stronę, w którą powinna. Osłabienie bólu, a nawet jego zamieranie wskazuje na to, że kula przesuwana jest w dobrą stronę. Istnieje wiele przykładów na to, że po właściwym ustawieniu energoinformacyjnej kuli kolan można swobodnie wykonać kilka przysiadów, nie doświadczając przy tym męczącego bólu.

Samooddziaływanie na stawy nóg każdy może przeprowadzić bez żadnych kłopotów. Można także samodzielnie wpływać na stawy rąk (nadgarstka, łokcia, ramion) – za pomocą tylko jednej ręki. Efektywność takiego oddziaływania nie zmniejsza się, a trudność polega tylko na tym, że człowiek nie jest przyzwyczajony do wykonywania uzdrawiających działań tylko jedną ręką. Na szczęście po kilku powtórzeniach ćwiczenia pojawi się niezbędne doświadczenie.

Kule narządów wewnętrznych

Opisane powyżej energoinformacyjne kule określają normalną pracę nie tylko połączeń stawowych. Każdy narząd wewnętrzny ma swego energetycznego sobowtóra – nośnik programów pracy narządu. W wyniku życiowych wstrząsów energetyczny sobowtór przesuwa się, związek między tkankami narządu a programami informacyjnymi ulega wypaczeniu, co skutkuje zaburzeniami funkcjonalnymi. W wyniku ciągłych zmian energetycznych połączeń zaburzenia funkcjonalne mogą się pogłębić i powodować organiczne zmiany tkanek narządu.

Za pomocą metod podobnych do tych stosowanych w przypadku przywrócenia właściwego położenia programowej kuli stawów można odbudować normalne oddziaływania energetycznego sobowtóra narządu wewnętrznego.

Określcie granice energetycznego sobowtóra narządu. Rozpatrzmy tę kwestię na przykładzie ramion. Przybliżając i oddalając ręce od prawego podżebrza, poczujecie, że ręce pokonują pewne sprężyste granice. Są to granice energetycznego sobowtóra. Obejmijcie dłońmi zgęstnienie sobowtóra. I zacznijcie bujać nim mikroruchami we wszystkich płaszczyznach. Narastający ból wskazuje na to, że sobowtóra należy przesunąć w inną stronę. Gdy sobowtór będzie już na swoim miejscu, pojawi się odczucie wewnętrznego ruchu: jakby delikatny strumień wody rozmywał przegrodę i zmieniał się w aktywny potok (rys. 72).

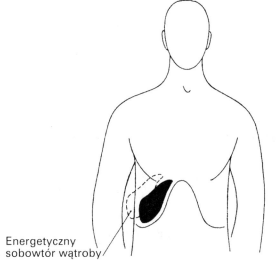

Energetyczny sobowtór wątroby

Rys. 72

Wtedy gdy trudno rękami dotknąć określonych narządów (np. nerek), można odbudowywać ich normalne usytuowanie w myśli. Skoncentrujcie uwagę na narządzie wewnętrznym i dotknijcie go mentalnymi rękami. Z prawej strony, z tyłu narządu poczujecie energetyczne zgęstnienie sobowtóra. Zacznijcie poruszać nim tak samo, jak robiliście to rękami. Mentalne działania naprawią zaistniałe niedomagania nie mniej efektywnie, niż realne działanie realnymi rękami.

Przykład: Mężczyzna zauważył, że skóra na goleniach przy zmianach temperatury powietrza zaczyna go bardzo swędzieć. Najczęściej miało to miejsce w łaźni. A trzeba wam wiedzieć, że mężczyzna uwielbiał łaźnie parowe...
Świąd skóry był nie do zniesienia i mężczyzna drapał łydki do krwi. Od tej dolegliwości uwolnił się bardzo szybko. Skoncentrował uwagę na nerkach i zrozumiał, że przesunął się energetyczny sobowtór nerek. Mentalnymi rękami ustawił go na miejscu.
Po kilku minutach świąd ustał, a w okolicy nerek pojawiło się przyjemne, dające odczucie komfortu ciepło.
Podobna praca z narządami wewnętrznymi daje pozytywny rezultat, gdy występuje potrzeba szybkiej samopomocy. Dzięki regularnemu wykonywaniu ćwiczeń można osłabić symptomy stałych dolegliwości lub nawet uwolnić się od nich.

Ogólna kula brzucha

M etodę pracy z energoinformacyjną kulą można wykorzystać także w walce ze zbędnymi kilogramami oraz w celu wzmocnienia mięśni brzucha.

Każdy staw i narząd wewnętrzny ma swą energoinformacyjną kulę (sobowtóra) zawierającą informację o tym, jak powinien pracować.

Przesunięcie kuli prowadzi do zaburzeń wzajemnego oddziaływania tej struktury z tkankami. Pogarszają się wtedy procesy energetyczne i ukrwienie, procesy metaboliczne ulegają spowolnieniu albo zwiększają swą intensywność. Jednym słowem, doznajemy wielu nieprzyjemnych odczuć. Odbudowa właściwego położenia energoinformacyjnej kuli pomaga uwolnić się od dolegliwości.

Nagromadzone zbędne kilogramy, obwisły, sflaczały brzuch i niskie napięcie mięśni brzucha w istocie są przejawami negatywnych zmian we wzajemnym oddziaływaniu ogólnej informacyjnej kuli brzucha i fizjologicznych struktur jamy brzusznej. Odbudowanie normalnego energoinformacyjnego wzajemnego oddziaływania zaowocuje zauważalną poprawą, mięśnie brzucha staną się sprężyste. Niestety, nie na długo – odbudowa będzie jednorazowa i nie utrwali się w strukturach pamięci komórkowej mięśni i narządów wewnętrznych. Aby osiągnąć trwały efekt, należy powtarzać procedurę kilka razy dziennie przez pięć, sześć miesięcy. Wtedy nowa informacja wyruguje poprzednią – negatywną i nasza figura będzie skorygowana, znikną zbędne kilogramy. Ogólne samopoczucie także znacznie się poprawi.

Praca z kulami nie jest lekarstwem! To tylko jeden ze sposobów odbudowy duchowej i fizycznej równowagi. Samą tylko odbudową ogólnej energoinformacyjnej kuli brzucha nie uwolnimy się od otłuszczenia. Do tego potrzebny jest kompleksowy wysiłek. Jednak już poprawienie wyglądu mięśni brzucha może być początkiem walki z nadwagą, a zatem także krokiem do poprawy ogólnego stanu zdrowia.

Sama metoda praktycznie nie różni się od tych opisanych wcześniej. Ułóżcie ręce po bokach brzucha tak, żeby dłonie były otwarte w kierunku powierzchni ciała. Palce skierowane w dół. Wykonajcie kilka ruchów, przybliżając dłonie do powierzchni i oddalając je od ciała. Poczujcie granicę energoinformacyjnej kuli. Teraz opuśćcie ręce do dolnej części brzucha (poniżej pępka) i skoncentrujcie uwagę na odczuciach energetycznej granicy ogólnej kuli. Huśtając kulę rękami, ustawcie tak, żeby w brzuchu pojawiło się odczucie „przyjemnie" (**rys. 73**).

Potem, wykonując mikroruchy, kołyszcie kulę we wszystkich płaszczyznach i poczujcie, że wewnątrz jakby odbudowały się rozerwane kanały: pojawiło się odczucie aktywnego ruchu. Ruch uwalnia wewnętrzną przestrzeń brzucha, a jego przednia ściana wciąga się do wnętrza. Niewiele, a jednak...

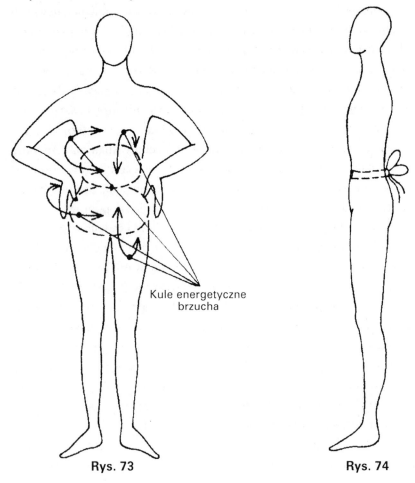

Kule energetyczne
brzucha

Rys. 73   **Rys. 74**

Wszystkie te działania należy powtórzyć w górnej części brzucha (powyżej pępka). Pojawi się odczucie lekkości i wzmocnienia. Brzuch zauważalnie się zmniejszy. Od was zależy, jak długo utrzyma się taki rezultat. Wielokrotne powtarzanie w ciągu dnia ćwiczenia z ogólną kulą brzucha wzmocni mięśnie tłoczni brzusznej, zwiększy ich napięcie, poprawi stan ogólny.

Dla wzmocnienia efektu można przeprowadzić określone mentalne działanie. Wyobraźcie sobie, że od pępka w kierunku pleców przez wewnętrzną przestrzeń brzucha naciągnięto nitkę. Odbudowanie równowagi energoinformacyjnej kuli pomoże wzmocnić brzuch. Chwyćcie nitkę rękami od pępka na plecach, naciągnijcie ją i poczujcie, jak przednia ściana brzucha wciąga się jeszcze bardziej. Teraz zawiążcie nitkę na plecach w taki sposób, żeby nie pozwalała brzuchowi obwisnąć. Brzuch wciągnie się i nawet sztuczne rozluźnienie utrzyma jego stan. Są to jednak tylko zewnętrzne kosmetyczne środki. Aby rezultat był trwały, trzeba je połączyć z innymi metodami na zbicie wagi (**rys. 74**).

Zwycięzca konkursu

Z punktu widzenia ewolucji szkielet człowieka nie jest udany, jeśli uwzględnić istniejące warunki życia. Jednak w ostrym współzawodnictwie z innymi gatunkami, wygrał właśnie on. Dlaczego?

Rola kości w organizmie nie jest do końca jasna. Szkielet stanowi podporę dla narządów i mięśni ciała. Wiadomo, że kości uczestniczą w tworzeniu krwinek i w niektórych procesach metabolicznych. Kanony starożytnych mówią o tym, że kości są energetycznymi akumulatorami ciała. Wychodząc z takiego założenia, teraz zrozumiała staje się konstrukcja ludzkiego szkieletu.

Kostny pancerz czaszki otacza mózg ze wszystkich stron i chroni go przed potencjalnymi uszkodzeniami. Ten sam kostny pancerz odgrywa rolę akumulatora, ponieważ zabezpieczenie energetyki mózgu jest podstawą wysokiej zdolności do pracy całego organizmu.

Nie mniej ważne są narządy klatki piersiowej: serce i płuca. One też są chronione przez kostny pancerz zapewniający energetyczne odżywienie tych narządów. Odcinki między żebrami są niezbędne do odprowadzenia ciepła wydzielanego z dynamicznie pracującego serca i płuc.

Brzuch pozostaje wolny od pancerza kostnego. W jamie brzusznej narządy układu trawiennego spalają i rozkładają pokarm. Wydzielana przy tym niska energia częściowo jest wydatkowana na zapewnienie termoregulacji, a jej nadmiar, zrzucany do organicznych produktów rozpadu, jest wydalany.

Mocne kości miednicy zapewniają energetykę nowemu życiu. Silne grube kości miednicy gromadzą dużą ilość energii życiowej i są dolnymi akumulatorami ciała.

Dobrze rozwinięte i aktywnie działające kostne akumulatory miednicy są gwarancją pewności, wewnętrznego spokoju, siły fizycznej. Jeśli w kościach miednicy nie ma odpowiedniego zapasu energii, trudno jest posiąść ukryty potencjał wewnętrznej siły.

Kości rąk i nóg są głównymi akumulatorami kończyn. Dzięki dobremu wypełnieniu kości nóg i rąk można uniknąć takich rozpowszechnionych chorób, jak: artretyzm, reumatyzm itp. Jeśli nauczymy się napełniać kości kończyn energią, będziemy mogli ulżyć sobie w chorobie lub nawet wyleczyć się z niej.

I wreszcie kręgosłup – podstawowa energetyczna magistrala organizmu. Zakłócenia w przewodzeniu jego kanałów nieuchronnie prowadzą do pojawienia się zmian fizjologicznych; przemieszczenia kręgów, powstawania przepuklin dysków międzykręgowych itp. Odbudowa energetycznej przewodności kanałów kręgosłupa stopniowo koryguje zaburzenia fizjologiczne.

Kręgosłup wiąże dwa mocne kostne twory ciała: czaszkę i kości miednicy. Utrzymuje równowagę energosystemu, w którym zachodzi gromadzenie i rozdzielanie energii życiowej.

Gdy człowiek aktywnie zajmuje się pracą intelektualną, energia kości miednicy unosi się wzdłuż kręgosłupa i odżywia mózg. Zwiększone użytkowanie „dolnej" energii prowadzi do obniżenia aktywności płciowej. Energia kości miednicy, zapewniająca aktywność seksualną oraz poczęcie, jest wydatkowana na twórczą działalność i przynosi ogromną rozkosz płynącą z samego procesu twórczego. Zazwyczaj kontakt płciowy po napięciu intelektualnym prowadzi do rozluźnienia, twórczy wzlot przechodzi w odczucie równowagi wewnętrznej i stan zaspokojenia. W takim przypadku znaczna część intelektualnej energii była wykorzystana na akt seksualny.

Metody uzupełniania energii kostnych akumulatorów pomogą utrzymać w stałej równowadze siły życiowe, uzupełnią też stracone zapasy.

Ogrzewanie szkieletu (kośćca)

ĆWICZENIA DLA DOŁADOWANIA TKANKI KOSTNEJ

* Do opanowania tego ćwiczenia potrzebny jest czas. Pierwsze treningi należy przeprowadzać szczególnie dokładnie, zwracając uwagę na detale. Treningi powinny trwać codziennie dwadzieścia – trzydzieści minut, i niekoniecznie pod rząd. Najlepiej wykonywać je rano i wieczorem. Nie należy ćwiczyć przed snem – może to grozić bezsennością.

* Siadamy wygodnie, plecy proste. Skoncentrujmy uwagę na kręgosłupie. Powoli weźmy wdech i wyobraźmy sobie, jak w postaci rozluźniającej lub ciepłej fali przepływa przez kręgosłup z góry na dół. Wyobraźmy sobie, że powietrze wraz z wdechem przepływa po kręgosłupie z góry na dół, a z wydechem wycieka przez kość ogonową.

- Zmieńmy kierunek wdechu – wydechu. Teraz wdech przechodzi przez kręgosłup z dołu – przez kość ogonową.
- Na początku mogą pojawić się zawroty głowy, może dojść do bolesnego napięcia mięśni pleców i klatki piersiowej. Wtedy należy przerwać ćwiczenie, rozluźnić się, posiedzieć, nie myśląc o niczym. Ćwiczenie można powtórzyć, gdyż nieprzyjemne odczucia szybko miną.
- Następny etap treningu: ruch strumieni z góry i z dołu. Nabierzcie powietrza powoli i głęboko, wyobrażając sobie, że wciągacie energię z góry i z dołu (przez potylicę i kość ogonową). Dwie fale wewnątrz kręgosłupa biegną sobie naprzeciw. Gdy spotykają się pośrodku kręgosłupa, mieszają się ze sobą – wtedy w plecach pojawia się przyjemne ciepło.
- Na wdechu wyobrażajmy sobie, że ciepło z punktu spotkania się dolnego i górnego strumienia rozchodzi się do góry, ku głowie. Wraz z wydechem ciepło opuszcza się – do kości ogonowej. Stopniowo tkanka kostna kręgów wypełnia się ciepłem i zaczyna się rozluźniać.
- Kostne akumulatory są nieźle spustoszone przez sposób życia człowieka. Tę pustkę należy wypełnić energią oddechu przejawiającą się w postaci ciepła. Siła oddechu przenika w głąb tkanki kostnej i wypełnia rdzeń kości, w którym zgromadzona jest energia życiowa.
- Wkrótce oddech spowolni się, na zewnątrz będzie prawie niezauważalny. Poczujemy, jakbyśmy oddychali bezpośrednio tkanką kostną kręgów. Wyobraźcie sobie wewnątrz kręgosłupa rozpaloną nić. Jej ciepło wypełnia kręgi i rozluźnia je.
- Ciepło wypełnia kręgosłup i zaczyna płynąć po żebrach, do środkowej kości mostka. Wydaje się, że żebra i mostek są przepełnione ciepłem, świecą nim. Potem ciepło płynie po kręgosłupie i wypełnia kości miednicy. Tkanka kostna rozluźnia się.
- Następnie ciepło rozprzestrzenia się od kości miednicy do kości nóg: od stawu biodrowego do kości stóp i palców.

- Mentalnie skierujcie ciepło od kręgosłupa na łopatki i obojczyk, a stąd, po kościach rąk – od stawów ramion do łokci i nadgarstków. Skoncentrujcie uwagę na wypełnieniu stawów ciepłem. Przełoży się to na przypływ energii, która osłabi odczucia chorobowe, pomoże blokować rozwój dolegliwości. Oprócz tego ciepło w stawach wzmacnia więzadła. A silne więzadła są podstawą siły fizycznej.
- Ciepło wypełniło kręgosłup, klatkę piersiową, miednicę, stopy i nadgarstki. Jeszcze kilka wdechów kośćmi i poczujecie, jak pod naporem oddechu ciepło z kręgosłupa przesuwa się w górę i wypełnia szyję, kości potylicy.
- Skierujcie ciepło do kości skroniowych i ciemieniowych, a potem na twarz. Czaszka wypełni się energią, miękkie ciepło delikatnie omywa mózg, likwiduje skurcze, napięcia wewnętrzne i zastoje. Mózg nasyca się energią kości czaszki. Głowa staje się czysta, lekka i przejrzysta. Nie ma żadnych trosk, dominują cisza i spokój.
- Stopniowo ciepło kości wypełnia mięśnie i narządy wewnętrzne. Ciało nagrzewa się. Następuje ogólne rozluźnienie, które pomaga odbudować energetyczny potencjał kości.
- Regularne nagrzewanie szkieletu – doładowanie kostnych akumulatorów – znacznie poprawi samopoczucie. Drobne dolegliwości spowodowane zakłóceniem bilansu energetycznego organizmu znikną niezauważalnie.

Ćwiczenia gimnastyczne narządów wewnętrznych

Często przyczyną chorób są zastoje w narządach wewnętrznych. Wszystkie narządy wewnętrzne wymagają określonego poziomu dynamiki. Do tego potrzebne są dodatkowe działania, niezwiązane z wypełnianiem funkcji fizjologicznych. Nasi przodkowie realizowali taką potrzebę dzięki ciągłemu ruchowi. Współczesny człowiek ze swoim spadkiem sił coraz częściej staje się ofiarą miękkich kanap. Często bywa tak, że spadku sił nie może zlikwidować ani poranne bieganie, ani gimnastyka. Ruchu jest za mało, za mało jest także czasu na uprawianie sportu czy chociażby tylko zwiększenie ilości ćwiczeń. A narządy wewnętrzne, zgromadziwszy w sobie niemało produktów przemiany materii, przy niesystematycznych obciążeniach, mogą się zbuntować. W stanie upadku sił szczególnie ważne jest nauczenie narządów wewnętrznych takiej pracy, by zawsze były w dobrej formie.

Sprzyjają temu szczególnie ćwiczenia napinania i rozluźniania mięśni gładkich narządów wewnętrznych. Każdy z nas może się ich nauczyć.

Osobliwość tych ćwiczeń polega na tym, że można je wykonywać w każdych warunkach: w obecności ludzi i w samotności, w domu na kanapie lub w pracy podczas zebrania. Krótko mówiąc, można samodzielnie zlikwidować zastoje w narządach wewnętrznych.

Napięcie na zmianę z rozluźnieniem należy wykonywać powoli, płynnie, kontrolując swój stan. Przy najmniejszych negatywnych odczuciach trzeba bezzwłocznie przerwać napinanie i zacząć głębokie rozluźnienie.

Oddech w czasie ćwiczeń powinien być płynny i powolny. Rytm oddechu powinien być połączony z procesami napinania i rozluźniania mięśni.

Jeśli mimo wszystko ćwiczenia spowodowałyby skurcz, nie wpadajcie w panikę. Sztuczny skurcz, choć dostarczy kilku nieprzyjemnych minut, sam przejdzie. Panika może tylko go nasilić.

Aby pozbyć się negatywnych reakcji, najlepiej zatrzymać skurcz, odwracając uwagę określonymi działaniami. Podczas pracy np. z wątrobą można odwrócić uwagę od nieprzyjemnych odczuć w następujący sposób. Zegnijcie mały palec prawej ręki w taki sposób, żeby jego opuszka dotykała podstawy palca. Z dwu stron, silnie, aż do bólu, naciśnijcie na paznokieć podstawą kciuka. Uwaga przejdzie na ból i skurcz minie. **Pod żadnym pozorem nie wolno** rozluźniać i napinać serca i płuc. Te narządy pracują dynamicznie i ich trening wymaga innych ćwiczeń, nie tak bezpośrednich. Serce posiada układy samoregulacji i samoregeneracji w znacznie większym stopniu niż inne narządy. W celu jego pełnej odbudowy należy zlikwidować uboczne oddziaływanie na naczynia krwionośne, obniżyć ogólne toksyczne tło, wyrównać równowagę hormonalną.

Aby treningi przynosiły pożądany efekt, powinno się, choćby w ogólnych zarysach, mieć pojęcie o anatomii człowieka. Głęboka wiedza nie jest potrzebna, ale trzeba kojarzyć serce z lewą stroną ciała, a wątrobę – z prawym podżebrzem.

Pierwsze doświadczenie w tego rodzaju ćwiczeniach najlepiej wykonać na przykładzie wątroby. To duży narząd leżący w prawym podżebrzu. Zróbcie wdech, wyobrażając sobie, że wypełnia on kanał kręgosłupa. Znacie już ten sposób. Kręgosłup prostuje się, rozciąga i napina wraz z wypełnianiem go energią. Tkankę kostną kręgów wypełnia napięciem, które przechodzi na żebra, rozchodzi się po nich i wypełnia środkową kość mostka.

Skierujcie uwagę na dolne żebra po prawej stronie. Wyobraźcie sobie, jak fala napięcia od żeber przechodzi na wątrobę i wypełnia ją. Ten sygnał czuciowy dostaje się do podświadomości i stąd, w postaci programu działania, wchodzi do komórek wątroby. Wątroba zaczyna się napinać. To niezwykłe odczucie. Nie zapominajcie o kontrolowaniu napięcia! (**rys. 75**).

Tkanka wątroby już się napięła, jest zwarta, zbita i ścisła. Czujecie ją w postaci bryłki w prawym podżebrzu. Zatrzymajcie się. Nie trzeba kontynuować, żeby nie spowodować niekontrolowanego skurczu.

Teraz czas na rozluźnienie. Wyobraźcie sobie, że do wątroby ze wszystkich stron wlewa się prąd świeżego powietrza. Pomóżcie sobie

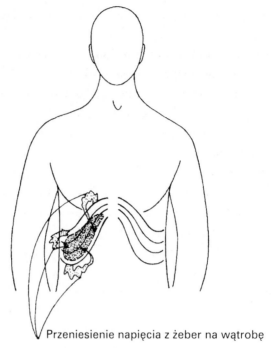

Przeniesienie napięcia z żeber na wątrobę

Rys. 75

oddechem. Powoli wciągając powietrze nosem, wyobrażajcie sobie, że przez powłoki ciała przenika ono do wątroby.

Tkanka wątroby powoli rozluźni się, wypełni odczuciem świeżości i komfortu. Podczas pierwszych treningów, cyklu napięcie – rozluźnienie nie wolno wykonywać więcej niż trzy razy. Stopniowo można zwiększać ilość powtórzeń do siedmiu – ośmiu razy.

Napięcie – rozluźnienie – to ćwiczenie samo w sobie jest potężnym stymulującym czynnikiem likwidacji zastojów. W celu zwiększenia efektu działania wykorzystajcie mentalny obraz oczyszczenia. Wyobraźcie sobie, że napięcie wyciska z tkanki narządu ciemność i brud, a wraz z rozluźnieniem wlewa się do niego czystość i świeżość.

Schemat przeprowadzania treningu innych narządów wewnętrznych jest identyczny ze schematem zaproponowanym dla wątroby. Oto on:

1. Energetyczne wypełnienie odpowiednich odcinków kręgosłupa i kości przylegających do narządu; napięcie ich.
2. Przeniesienie napięcia z kości na narząd wewnętrzny.
3. Napięcie tkanki narządu wewnętrznego aż do odczucia ścisłej, zbitej, zwartej bryłki.
4. Rozluźnienie narządu.
5. Po pierwszym cyklu napięcie – rozluźnienie wszystkim pozostałym cyklom towarzyszy obraz mentalny: napięcie wyciska z narządów brud, a rozluźnienie wypełnia narząd czystością i świeżością.

Przestrzegając tego schematu, można bardzo szybko (w kilka dni) nauczyć się impulsami woli napinać i rozluźniać tkanki narządów wewnętrznych. Takie ćwiczenia zlikwidują zjawiska zastoju, zniwelują spadek sił. Regularne treningi zregenerują tkanki narządów. Setki praktykujących tę metodę ludzi pozbyło się chorób, odbudowało zdolność pracy różnych narządów.

UKŁAD KRĄŻENIA

Jednolity regulator rytmu

Nasi przodkowie, Słowianie, podobnie jak tradycyjni medycy Wschodu uważali, że każda choroba powstaje z powodu niedostatku lub nadmiaru energii życiowej na określonym odcinku ciała lub w całym układzie kanałów i meridianów. Współcześni bioenergoterapeuci twierdzą, że krążenie energii życiowej jest zakłócane przez powstawanie osobliwych energetycznych czopów. Jeśli w kanałach, którymi energia życiowa przedostaje się do narządów wewnętrznych, powstaje blokada, to z jednej strony czopu ilość energii zwiększa się, a drugiej – maleje. Sądzę, że żadnych skrzepów i czopów w kanałach nie ma i być nie może. Przyczyna leży w lokalnym zakłóceniu jednolitego rytmu biologicznego organizmu.

Przed nami najważniejsze pytanie: co właściwie określa naturalny rytm? Każdy ma serce i to właśnie serce każdego człowieka określa dynamikę wszystkich procesów, ich rytmiczność i skoordynowanie w strumieniu osobistego biologicznego czasu. Serce nadaje rytm całemu organizmowi.

Sterowany prąd krwi

Serce dyktuje rytm wszystkim procesom zachodzącym w organizmie. Bicie serca można wyraźnie odczuć w strefie pulsu: na nadgarstku lub szyi. Opuszkami palców prawej ręki: wskazującego, środkowego i serdecznego należy wyszukać na wewnętrznej stronie lewego nadgarstka strefę pulsu. Nie wolno słuchać pulsu opuszką kciuka – prowadzi to do błędu (**rys. 76**).

Następnie na prawej ręce, w spodniej części dłoni, w rejonie nadgarstka trzeba znaleźć punkt słabego odczucia pulsu. W tym celu należy lekko wygiąć prawą dłoń do góry. Gdzieś na środku nadgarstka powstanie maleńka jamka. Należy przyłożyć do niej opuszkę środkowego palca lewej ręki – wkrótce słabe bicie pulsu będzie odczuwalne (**rys. 77**).

Teraz należy rozłożyć obie ręce spodami dłoni od siebie i skrzyżować je w taki sposób, by punkt słabego pulsu na spodniej stronie prawego nadgarstka znajdował się w strefie pulsu na wewnętrznej stronie lewego nadgarstka (**rys. 78**).

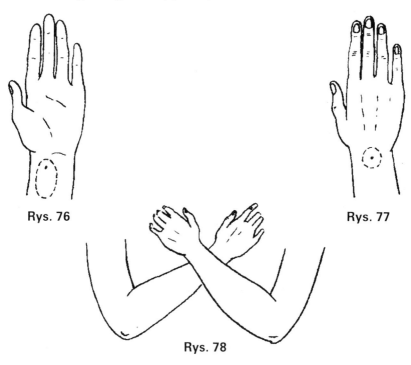

Rys. 76

Rys. 77

Rys. 78

167

Stopniowo pulsowanie od punktu złączenia rąk rozchodzi się na przedramiona. Wysiłkiem myśli należy pomóc mu wypełnić całe ręce. Potem trzeba przesunąć pulsowanie na ramiona, głowę tułów, nogi. Gdy pojawi się stała pulsacja w całym ciele, można zacząć pracę nad narządami wewnętrznymi.

Jeśli trzeba przeczyścić rurkę wypełnioną brudem, wsuwa się w nią wycior i porusza nim w przód i w tył, za każdym razem przesuwając go dalej. To samo dzieje się we wnętrzu narządu. Początkowo fala pulsacji tylko troszkę wchodzi w tkankę i od razu jest odrzucana do tyłu. Znów przenika do tkanki, tym razem głębiej. Sterowanie falą pulsacji należy powtarzać wielokrotnie, aż do pojawienia się odczucia, że przebiła się przez tkanki organizmu. Działania lecznicze należy wykonywać, przestrzegając kierunku fizjologicznego ruchu w narządach.

Gdy pulsacja przebije się przez narząd wewnętrzny, prąd krwi uniesie z tkanek produkty rozpadu, fizjologiczny i energetyczny brud, zlikwiduje napięcie. W narządach zostanie aktywowany naturalny prąd krwi, składniki odżywcze wraz z tlenem przenikną do najbardziej oddalonych części ciała i zlikwidują następstwa zastojów. Ta metoda pomaga usuwać skurcze naczyń i mięśni gładkich, oczyścić organizm z zatruć, wzmaga obwodowe zaopatrzenie tkanek w krew.

Wykorzystanie metody sterowanego prądu krwi ma duże spektrum zastosowania; od samoleczenia narządów wewnętrznych do szybkiej odbudowy mięśni po dużych obciążeniach fizycznych. Tym sposobem można oczyścić fizjologiczną strukturę chorego narządu.

Pulsacyjne ćwiczenia mogą mieć formę dotykową. Naciśnijcie strefę pulsu na wewnętrznej stronie lewego nadgarstka do lewego podżebrza, a prawą dłonią przykryjcie strefę bólu (lub dyskomfortu). Skupcie się na wrażeniach płynących z chorego miejsca. Wkrótce poczujecie, że lokalna pulsacja w obszarze dyskomfortu nie jest zgodna z rytmem ogólnego pulsowania organizmu. Wysiłkiem woli zmieniajcie lokalny rytm – pulsacja chorego miejsca musi dostroić się do rytmu serca. Stopniowo w obszarze dyskomfortu zostanie odbudowany naturalny rytm organizmu (rys. 79).

Czytelnik może zadać pytanie: jak postępować w przypadku choroby serca? Przecież arytmia dyktuje nieprawidłowe tempo procesom wewnętrznym...

Według autora każda choroba serca wynika z tego, że w organizmie gromadzą się zaburzenia jednolitego rytmu. Stopniowo ich ilość rośnie i rozrywa jednolite tempo na mnóstwo lokalnych rytmów. W wyniku tego zmienione rytmy lokalne zaczynają wpływać negatywnie na pracę serca. Najpierw pojawiają się zakłócenia funkcjonalne, potem zmienia się tkanka mięśnia sercowego, zastawek, potem może dojść nawet do organicznych zmian tkanki mięśnia sercowego.

Praktyka pokazuje, że metoda „sterowanego prądu krwi" przyczynia się do poprawy pracy serca, stabilizuje jego rytm, likwiduje częstoskurcze i arytmię oraz inne sercowe dolegliwości. Należy jednak

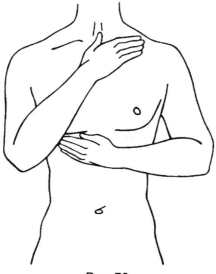

Rys. 79

unikać bezpośredniego oddziaływania na serce. Dostrajajcie chore narządy, korygujcie ich funkcjonalną działalność, a wtedy ogólny rytm będzie skorygowany.

Kanał podjęzykowy

W alidol jest bardzo znany i popularny. W razie potrzeby zazwyczaj tabletka wkładana jest pod język. Jednak walidol nie posiada żadnych leczniczych właściwości. Efekt uzdrowienia osiągany jest dzięki podrażnieniu chłodem szczególnych stref refleksogennych pod językiem. Zamiast lekarstwa można zastosować specjalne ćwiczenia energetyczne.

Pod językiem leży zakończenie szerokiego kanału energetycznego, który doładowuje narządy klatki piersiowej i służy jako transporter energii z zewnątrz do narządów wewnętrznych.

Jeśli posiedzimy z szeroko otwartą jamą ustną, unosząc koniec języka do podniebienia, pod językiem poczujemy chłodek i podszczypywanie, jak gdyby leżała tam miętowa pastylka. Wyobraźcie sobie, że ze strefy podjęzykowej do serca płynie miękki, równy strumień. Po kilku chwilach nasz „motor" będzie już rytmicznie pracował (rys. 80).

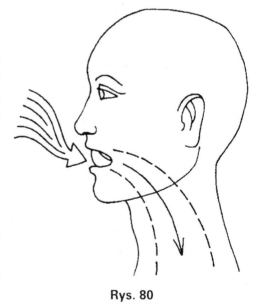

Rys. 80

Paralelne oddychanie

W pradawnej tradycji samodoskonalenia istnieje ćwiczenie pomagające poczuć i aktywizować paralelny kanał oddechowy. Pradawne nauki bezpośrednio wiążą oddech z nasyceniem organizmu energią życiową. Ponieważ oddychanie jest aktem odruchowym, to energetyczne nasycenie zachodzi nieświadomie. Wy możecie przećwiczyć to świadomie.

Zatkajcie ręką nos i usta, zatrzymajcie oddech tak długo, jak to jest możliwe. Gdy już bardzo będziecie chcieli nabrać powietrza, otwórzcie usta, odetkajcie nos i zróbcie wdech. Wsłuchajcie się w to słodkie uczucie: powietrze wlewa się do płuc...

Gdy realnymi rękami zasłanialiście nos i usta, powstawało odczucie, że otwory oddechowe naprężają się w dążeniu do uchwycenia choćby małej porcji powietrza. A teraz wyobraźcie sobie, że zatykacie usta i nos ręką mentalną (podkreślam – mentalną, nie – realną). W rzeczywistości otwory oddechowe są otwarte i możecie oddychać. Powietrza jednak nie ma! Pojawia się odczucie, że z tyłu podstawowego kanału oddechowego leży jeszcze jeden kanał. Dzięki niemu energia życiowa razem z oddechem dostaje się do organizmu. Gdy mentalną ręką przykryliście usta i nos, oddychaliście powietrzem, a energia życiowa była zatrzymywana przez barierę obrazu mentalnego. Myśl może generować energię, ale może także ją zatrzymywać **(rys. 81)**.

Teraz znów zakryjcie nos i usta realną ręką. Powietrze nie dociera przez otwory oddechowe, ale energia może swobodnie przenikać przez tkanki ręki do kanału energetycznego. Wyobraźcie sobie, że oddychacie podniebieniem i kanał paralelnego oddechu przekształca się w magistralę energetyczną. W nim w postaci fali porusza się energia. Można zakryć nos i usta ręką i nie doświadczać przy tym strasznej chęci nabrania powietrza...

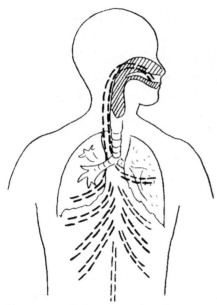

Przerywana linia oznacza kanał bezpośredniego oddychania praną

Rys. 81

Praktyczne wykorzystanie tego kanału jest wielorakie: od zatrzymania oddechu, gdy trzeba przebiec wypełniony spalinami odcinek ulicy, do szybkiej i efektywnej samoodbudowy po sporych fizycznych obciążeniach.

Jeśli po różnego rodzaju przeciążeniach macie odczucie wyniszczenia czy spustoszenia, stańcie obok drzewa. Latem może to być brzoza, dąb, modrzew. Zimą – sosna, świerk. Skoncentrujcie uwagę na energetycznym kanale oddechowym. Powoli wciągnijcie powietrze – poczujecie ciepły strumień energii płynący w kanale, stopniowo wypełniający płuca i oskrzela. Zatrzymajcie oddech, a energia przepełniająca płuca zostanie wchłonięta przez struktury wewnętrzne. Nie będzie czego wydychać: energia wdechu została wchłonięta przez tkanki płuc i oskrzeli. Na wdechu można rozszerzyć kanał energetyczny, wydłużyć go w dół – do miednicy lub jeszcze niżej, do stóp. Wtedy wdech dostarczy energię życiową do dowolnych części ciała. Podobne oddychanie „od głowy do pięt" pomoże szybko zregenerować utracone siły, wyrównać bilans energetyczny organizmu.

POMOC PRZYRODY

„Zdrowe" miejsca

W lasach, gdzie żyły plemiona naszych praojców, było wiele „zdrowych" miejsc. We współczesnej terminologii nazywają się one „miejscami siły". Wciąż istnieją, jednakże ludzie oduczyli się je rozpoznawać.

Przypatrzcie się uważnie, w jaki sposób w lesie rosną drzewa. W „miejscach siły" najczęściej układają się w okrąg, romb lub czworokąt. Drzewa powinny być potężne, zdrowe i wysokie, powinny też stać blisko siebie. Ziemia między drzewami jest mocno ubita, nic innego oprócz trawy tam nie rośnie.

Wejdźcie do wnętrza przestrzeni ograniczonej pniami drzew. Doznacie uczucia, że wchodzicie w zamkniętą przestrzeń, oddzieloną od zjawisk zewnętrznych. Jeśli w lesie wieje wiatr, w „miejscu siły" jest prawie nieodczuwalny.

Wysokie pnie drzew tworzą szczególnego rodzaju rurę skierowaną w niebo. Zamknięta w kręgu energetyka drzew ogniskuje z góry strumień energetyczny oddziałujący z energią Ziemi. Możliwe jest wykorzystanie takich miejsc w celu odzyskania zdrowia, poprawy nastroju i doładowania energią. Drzewa liściaste tworzące kontur miejsca siły pracują tylko wiosną i latem. Iglaste (oprócz modrzewi) – działają przez okrągły rok.

Bywają różne „miejsca siły". W jednych strumień energetyczny działa tylko na określone narządy i układy ciała, w innych zachodzi ogólne doładowanie organizmu energią. Jednakże bywają też miejsca o energii negatywnej. Odznaczają się one szczególną właściwością: gdy przebywamy w ognisku takiej patogennej strefy, czujemy najpierw nieoczekiwany przypływ podniecenia seksualnego. Wybuch ten jest krótkotrwały, potem następuje spadek sił, dziwne osłabienie, pustka wewnętrzna. Zła strefa geopatyczna niszczy człowieka, pustoszy go, wyciągając z niego życiową energię. Przebywaniu w niej towarzyszy ucisk w skroniach, nudności, ból oczu... Objawy przypominają nieoczekiwany wzrost ciśnienia krwi. Dłuższe przebywanie w takim miejscu może spowodować przesilenie hipertoniczne. Jeśli więc na jakiejś polance doznajemy uczucia dyskomfortu, lepiej z niej odejść.

Praca z miejscami siły ma swoje reguły.

Na miejsca siły najlepiej przychodzić wcześnie rano lub po zachodzie słońca. W ciągu dnia aktywność stref siły jest mniejsza, gdyż kompensuje ją aktywność słoneczna.

W miejscach siły budzą się emocje, wzrasta entuzjazm, traci się poczucie realności – może pojawić się euforia i chęć dłuższego pozostania w tym miejscu. To już może być groźne, gdyż nadmiar energii otrzymanej w strefie aktywności energetycznej może spowodować pogorszenie samopoczucia.

Po skończeniu pracy w miejscach siły dobrze jest zrobić gimnastykę. Wewnętrzne napełnienie, świeżość, siła, spokojne rozluźnienie będą towarzyszyć nam cały dzień.

Człowiek i drzewo

Praca z drzewami jest niezwykle interesująca i zadziwiająca ze względu na efekty. Leśne narody miały swój sposób radzenia sobie z chorobą, bólem i cierpieniem. Znachor przekazywał dolegliwość swojego pacjenta jakiemuś drzewu w lesie. Wtedy drzewo usychało, a chory albo zdrowiał, albo odczuwał znaczną ulgę w chorobie. Drzewa gotowe są do podzielenia się z nami energią szczęścia, ale przyjąć ją należy umiejętnie i ostrożnie. W przeciwnym wypadku energia drzewa może zacząć nas niszczyć niczym nawałnica i zatopić od wewnątrz.

Stańcie twarzą do drzewa w taki sposób, by nogi przylegały do pnia, a stopy dotykały kory (lub przylegały do pnia). Dłonie połóżcie na pniu w taki sposób, żeby znalazły się naprzeciw siebie. Między nimi pojawi się energetyczna łączność, jak podczas pracy z biopolem.

Najpierw odczujecie tylko dotyk kory drzewa. Wkrótce pojawi się odczucie ruchu wewnątrz pnia, a fala energii płynąca z dołu wypełni nogi sprężystą siłą. To znak, że drzewo przyjęło was do swego wnętrza.

Ciało wgrywa się w energetyczną strukturę drzewa, stopniowo odczucia ciała ulegają osłabieniu, przytępiają się. Jednoczycie się z drzewem, zlewacie się z nim i możecie poczuć jego gałęzie, koronę, korzenie, tak jak swoje ręce, nogi i palce.

W zjednoczeniu się z drzewem poczujecie pieszczotliwe ciepło słońca, wietrzyk szeleszczący liśćmi, siłę idącą przez korzenie z ziemi itd. Energetyczna siła drzewa wypełni was, dotrze do każdej komórki waszego ciała, przywróci wewnętrzną równowagę organizmu.

Po zakończeniu kontaktu z drzewem najpewniej odczujemy rozluźnienie i wewnętrzne, błogie znużenie. Mięśnie, kości, narządy wewnętrzne wypełnione są energią życia i nastrojone na nowy rytm pracy – spokojny, równy, stały.

Przy bólach kręgosłupa pomoże metoda pracy z drzewem. Stańcie plecami do drzewa w ten sposób, by kręgosłup ściśle przylegał do kory. Oczy zamknięte, mięśnie rozluźnione. Wkrótce pojawia się odczucie, że między wami i drzewem rozciąga się coś w rodzaju cienkiej błonki, która przeszkadza w kontakcie energetycznym. Zlikwidujcie ją mentalnym wysiłkiem. W tym działaniu każdy może przejawić swą osobistą inwencję. Błonę można rozpuszczać, głaskać, rozrywać i rozrzucać jej kawałki – wariantów jest wiele. Najważniejsze – to pozbyć się błony choroby, połączyć się z drzewem. Gdy już się to uda, poczujecie w kręgosłupie potężny ruch, który rozciągnie grzbiet i wypełni bolesne chorobowe miejsca. Kręgosłup prostuje się, staje się mocny niczym pień drzewa. Ważne jest wykonywanie tego ćwiczenia z drzewami o równym, prostym pniu.

Przypomnieć należy, że taki wariant pracy z drzewami liściastymi możliwy jest tylko w okresie od kwietnia do połowy sierpnia, gdy soki mają największą aktywność. Lepiej w ogóle ograniczyć go do pierwszego tygodnia sierpnia, gdyż później drzewa zaczynają szykować się do snu zimowego. Jednakże wiecznie zielone drzewa iglaste mogą efektywnie pracować – a więc i pomagać – cały rok. Chociaż i w tym wypadku na kilka spraw trzeba zwrócić uwagę. Latem drzewa liściaste są pełne siły, a iglaste nieco obniżają swą aktywność. Natomiast zimą, gdy wszystkie liściaste odmiany głęboko śpią, przychodzi czas sosen i świerków. Drzewo iglaste staje się tym bardziej aktywne, im silniejszy jest mróz.

Bioenergoforeza

Siła ziół jest ogólnie znana. Przyzwyczailiśmy się do takich sposobów ich użycia, jak odwary czy napary. W ziołach zakodowana jest lecznicza energetyczna informacja. Skoncentrowany w nich kod zdrowia można wykorzystać w celu samodzielnego uwolnienia się od chorób. Niezbędne zioła przykładacie do stref choroby na ciele. Jeśli np. boli wątroba lub problemy sprawia woreczek żółciowy, należy zaparzyć odpowiednie zioła tak, by były miękkie, i rozgrzane przełożyć na czystą gazę, a tę z kolei przykleić plastrem (lub przywiązać) do ciała w okolicy wątroby, do prawego podżebrza.

Skierujcie na taki fitooklad strumień energii ze swoich dłoni. Dobre rezultaty daje energia obręczy (pierścienia) z palców (praktyka pierścienia z palców opisana jest w rozdziale „Uniwersalne wpływy"). Strumień energii przechodzi przez rozgrzane zioła, uaktywnia funkcje lecznicze, wprowadza do organizmu energetyczny kod zdrowia ziół i sprzyja odzyskaniu zdrowia.

Oddziaływanie można zwiększyć, przyciskając plecy do drzewa w czasie seansu bioenergoforezy. Wtedy strumień energetyczny nasili się, a oprócz tego otrzymacie ładunek siły od drzewa. Efektywność samooddziaływania będzie wyższa.

HARMONIA PSYCHIKI

Nasze wewnętrzne schronienia

B ywają takie chwile w życiu człowieka, kiedy chętnie schowałby się do mysiej dziury, aby odsapnąć od problemów. Ludzie nieświadomie szukają ulgi – chcą odpocząć, pragną choć na krótko odprężyć się, uciec od niedorzeczności życia. Należy uspokoić swój stan wewnętrzny, kiedy krew się w nas burzy, czujemy się niczym wulkan. Trzeba przecież powrócić w stanie spokoju i równowagi duchowej do realiów życia. W przeciwnym razie może nastąpić wybuch. Psychika, przeciążona negatywami, mocno odczuwa nawet błahe zdarzenia. Człowiek zachowuje się koszmarnie wobec siebie i otoczenia. Pojmuje niestosowność swych reakcji, nieadekwatność ocen, ale nie potrafi nic z tym zrobić, nie umie sobie ze sobą poradzić. Z jego wnętrza unosi się fala rozdrażnienia oraz gotowość do czepiania się drobiazgów. Potrzebuje poważnej pomocy psychologa.

Metoda psychologicznych schronień pomoże ukryć się w wewnętrznej norce. W takim wewnętrznym schronieniu człowiek nie traci możliwości komunikowania się z innymi, w sporze argumentuje swój punkt widzenia, ale zdarzenia zewnętrzne nie ranią go do żywego – nie dotykają delikatnych, subtelnych poziomów psychiki.

W życiu codziennym schronieniem jest dom. Jednakże takie schronienie może się spalić, mogą je ograbić złodzieje... Zewnętrzne schronienie nie gwarantuje pełnej ochrony, choć dla większości ludzi jest główną, najważniejszą przystanią. Ochrona – to pojęcie psychologiczne. Nawet w otoczeniu plutonu bodyguardów można czuć się nagim – bezbronnym. Ale można też, przebywając sam na sam ze sobą, czuć się pewnie, chronionym ze wszystkich stron. Takie są już osobliwości psychologii percepcji.

Wariant sprawdzony wieloletnim doświadczeniem przez setki praktykujących – to wewnętrzne psychologiczne schronienia. Znajdują się wewnątrz nas i nikt bez naszej wiedzy nie może do nich wtargnąć. Praktyka wewnętrznych schronień pomoże przeżyć burze emocjonalne w komfortowym spokoju „wewnętrznej norki".

Wyróżniamy psychologiczne schronienia trzech poziomów:

pierwszy – schronienie miejsca,

drugi – schronienie działania,

trzeci – schronienie stanu.

Każdy człowiek nosi w sobie wspomnienie miejsca, w którym czuł się przyjemnie i komfortowo. Przypomnijcie sobie odczucia związane z takim miejscem. Obejmijcie dwa pierwsze paliczki małego palca lewej dłoni opuszkami palców – „szczyptą palców" prawej dłoni. A teraz zapamiętany obraz (lub jego odczucia), mentalnym wysiłkiem, po ręce, jak po gumowym wężu, skierujcie do małego palca lewej dłoni. Niech fali mentalnego obrazu przemieszczającego się w ręce asystuje druga ręka. Przeniknięcie fali obrazu przez palec w strukturę nieświadomej psychiki przełoży się na stan spokoju i rozluźnienia. Właśnie utworzyliście psychologiczne **schronienie miejsca.** Teraz, przeżywając nowe odczucie, trzeba pewnie i twardo powiedzieć sobie: „Stworzyłem schronienie pierwszego poziomu!".

Po stworzeniu tego schronienia „szczyptą palców" prawej ręki obejmijcie ostatni paliczek małego palca lewej ręki. Będzie to początek formowania **schronienia działania.** Samo schronienie drugiego poziomu jest pamięcią o stanie psychologicznego komfortu i spokoju. Na przykład taki stan może powstać podczas szczerej, gorącej modlitwy.

Obejmijcie „szczyptą" palców prawej ręki ostatni paliczek małego palca lewej ręki, a potem prowadźcie po ręce jaśniejącą, błyszczącą kulę wspomnień od głowy do małego palca. W celu utrwalenia nowego stanu liczcie do pięciu i po wypowiedzeniu każdej cyfry zginajcie palce obu rąk, poczynając od małego palca.

Po powstaniu schronień pierwszego i drugiego poziomu wsłuchajcie się w siebie. Teraz w każdej trudnej czy stresującej sytuacji możecie się ukryć w swoim schronieniu, przeczekać tam krytyczną chwilę, uniknąć nacisku na psychikę i pozostać w stanie spokoju, zachowując równowagę psychiczną.

SPRAWDŹCIE SIĘ

Obejmijcie kolejno „szczyptą palców" prawej ręki paliczki małego palca lewej ręki, odpowiadające schronieniom pierwszego i drugiego poziomu. To gest aktywizacji schronień. Wykonajcie go w jakiejś stresującej sytuacji, a wewnątrz was powstanie spokój i poczucie komfortu – to, czego doświadczaliście w wewnętrznych schronieniach. W celu utrwalenia programów schronień powtórzcie kilkakrotnie w ciągu dnia gest odejścia do schronienia... I za każdym razem postarajcie się pobyć tam odrobinę dłużej. Trening jest potrzebny w celu swobodnego i pewnego wchodzenia do schronienia wtedy, gdy to będzie niezbędne.

Schronienie trzeciego poziomu – **schronienie stanu** – różni się od dwóch pierwszych, ponieważ umożliwia osiągnięcie szczególnego stanu duchowego. Tworzy się je według zasady powstania dwóch poprzednich schronień. Trzeba przypomnieć sobie stan, którego być może doświadczyliście tylko raz w życiu, ale który utkwił wam w pamięci jako niezwykle przyjemne, szczęśliwe doświadczenie. Na przykład pamięć o stanie może wiązać się ze spacerem po polach czy lesie. W czasie takiego spaceru nagle doznaliście uczucia szczęścia, wewnętrznego wzlotu. Przypuszczam, że wielu z was przypomni sobie taki powstały spontanicznie stan szczęścia. Przeżywają go prawie wszyscy, choć wolą zachować te przeżycia dla siebie. Gdy przypomnicie sobie ten stan, obejmijcie serdeczny i mały palec lewej ręki palcami prawej ręki w taki sposób, żeby opuszka prawego wskazującego palca spoczęła na stawie przylegającego do dłoni trzeciego paliczka serdecznego palca. W taki sposób utrwalicie w pamięci **schronienie stanu**.

W trudnej stresującej sytuacji można korzystać ze schronień trzech poziomów: chwycić się za pierwsze dwa paliczki lub ostatni paliczek małego palca lub jednocześnie za palec serdeczny i mały, i skoncentrować uwagę na dotyku. Kotłujące się wewnątrz emocje szybko się uspokoją i stopniowo wytworzy się równowaga wewnętrzna.

Należy utrwalić stan schronień i nauczyć się z nich korzystać. Wykorzystajcie zakładkę z palców, która wgra w podświadomość określone programy. Gdy nadejdzie konieczność ukrycia się w schronieniu określonego poziomu, wystarczy dotknąć palcami prawej ręki paliczków kciuka i (lub) palca serdecznego i kciuka lewej ręki.

Dla podświadomości te działania są hasłem – rozkazem włączenia programu schronień.

Technika tworzenia zakładki z palców jest prosta. Trzeba usiąść i rozluźnić się. Ręce leżą na kolanach, spody dłoni skierowane ku górze. Program zakładki z palców każdy tworzy sam. Mentalnie wypowiadacie kluczową frazę: „Proszę moją podświadomość..." i zginacie małe palce obu rąk. Następnie, przy wciąż zgiętych palcach, mentalnie wypowiadacie słowa zakładki z palców.

Następnie znów mówicie: „Proszę moją podświadomość...", zginacie i przyciskacie do dłoni palce serdeczne, wypowiadając kolejną formułę zakładki. W końcu niewykorzystane pozostają tylko kciuki. Utrwalają one utworzony program. Poniżej podano przykładowy opis formuł zakładki.

Proszę moją podświadomość... (w tym momencie zginacie małe palce i przyciskacie je do dłoni) o utrwalenie programu spokoju i odpoczynku w wewnętrznych schronieniach...

Proszę moją podświadomość... (zginacie palce serdeczne) o rozprzestrzenienie wpływu programu spokoju i odpoczynku w schronieniach na wszystkie komórki, narządy i struktury ciała.

Proszę moją podświadomość... (zginacie środkowe palce) o włączenie spokoju i odpoczynku schronień do systemu reakcji ciała.

Proszę moją podświadomość... (zginacie palce wskazujące) o rozprzestrzenienie wpływu programu schronień na psychikę i fizjologię organizmu.

Potem mentalnie liczycie do pięciu i przyciskacie do dłoni kciuki. Przykrywacie nimi zaciśnięte pięści i pewnym, silnym głosem powtarzacie: „**Tak będzie zawsze!**". Teraz następuje wdrożenie programu schronień w struktury podświadomości. Zaciśnięte pięści napinają się, mięśnie przedramion są ściągnięte, niczym w skurczu. To reakcja podświadomości na wdrożenie nowego programu. Nie próbujcie wysiłkiem woli rozluźniać naprężonych pięści. Każda zewnętrzna ingerencja w proces może doprowadzić do zniszczenia wbudowanych programów, dlatego trzeba czekać, aż ręce rozluźnią się w naturalny sposób. Może zdarzyć się tak, że ręce do końca się nie rozluźnią. To nic strasznego. Trzeba wtedy przesunąć na wpół otwartymi palcami wzdłuż biodra, od kolana do miednicy – wtedy palce całkowicie się rozluźnią.

Pasywna obrona psychologiczna

Istnieje wiele metod profilaktyki antystresowej, choć ich istota pozostaje niezmienna, jednakowa dla wszystkich. Należy doprowadzić się do takiego stanu, w którym wydarzenia świata zewnętrznego postrzegane będą spokojnie.

Proponuję dwa warianty profilaktyki antystresowej. Jeden – typowo profilaktyczny, drugi – operatywny.

Z punktu widzenia biofizyki i biochemii stres zmusza układ hormonalny do hiperaktywnej pracy, do krwi odprowadzana jest duża ilość hormonów stresu. Przekłada się to na podwyższenie ciśnienia i wzmożone bicie serca.

Gdy zachodzi zmasowany wyrzut hormonów stresu do krwi, proces produkcji endorfin („eliksiru wewnętrznego szczęścia") jest hamowany i zamiast „przyjemnie", pojawia się „strasznie" itp. To tylko przybliżony schemat negatywnego wpływu stresu na ludzką fizjologię. Nie ma potrzeby szczegółowego opisywania biochemicznych i bioenergetycznych mechanizmów wpływu na człowieka obciążeń związanych ze stresem. Ważne jest coś innego – nauczenie się umiejętnego przeciwdziałania negatywnemu oddziaływaniu.

Jedną z najefektywniejszych metod pasywnej obrony jest obraz poduszki. Jedziecie sobie ogólnodostępnym środkiem transportu, np. autobusem. Trzymacie się poręczy, ale autobus podskakuje na wybojach i pasażerowie obijają się o siebie. Boleśnie uderzają się i są uderzani w ramiona i ciała innych pasażerów. W celu osłabienia nieprzyjemnych przeżyć wyobraźcie sobie, że jesteście poduszką. Odczucia będą wyraźne, wstrząsy i uderzenia nie będą nieprzyjemne.

Obraz ten pomoże w sytuacji moralnego nacisku, agresji słownej czy krzyku zwierzchnika. Wystarczy wyobrazić sobie siebie jako poduszkę, a nacisk osłabnie, agresja się zmniejszy – uwięźnie w miękkiej poduszce...

Aktywna ochrona psychologiczna

Aktywna ochrona – to działania neutralizujące nacisk psychologiczny. Istnieją różne rodzaje tej metody.

GEST

Gdy ktoś na was krzyczy lub w inny sposób wywiera nacisk psychologiczny, dobrze jest zastosować najprostszy wariant – położyć rękę w okolicy serca. Na zewnątrz gest ten może być odebrany tak, że nastąpiło lekkie zaburzenie rytmu serca, że serce wam się ścisnęło. W rzeczywistości wasza ręka zablokuje dostęp negatywnych energetycznych impulsów do „kotła miłości". Wtedy obniża się intensywność stresogennego oddziaływania.

CEGŁA

Wyobraźcie sobie wokół siebie krawędź cegły, potem pojawi się odczucie jednolitego kamiennego bloku. Pod wpływem krzyku podwyższeniu może ulec ciśnienie, może zwiększyć się bicie serca osoby, na którą nakrzyczano. Na cegłę krzyk nie wywiera żadnego wpływu. Cegła jak była, tak pozostanie tylko cegłą... Krawędzie cegły odbijają wszelkie agresywne ataki. Pojawia się stan całkowitego spokoju i obojętności. Jesteście cegłą!

ZAMEK Z PALCÓW

Na obu rękach obejmujecie małe palce palcami: środkowym i serdecznym. Aktywna energia agresji psychologicznej kręci się niczym wiatr wokół was, ale nie może przeniknąć do wnętrza i zakłócić równowagi psychologicznej (**rys. 82**).

LODOŁAMACZ

Wyobraźcie sobie przed sobą ostry dziób lodołamacza. Fale psychologicznej agresji rozbijają się o niego i spływają w postaci nieszkodliwych strumieni.

To dobry sposób na szybkie poruszanie się w tłumie ludzi (np. w metrze, na ulicy itp.). Ludzie sami ustępują wam z drogi, nawet tego nie zauważając – droga wolna (**rys. 83**).

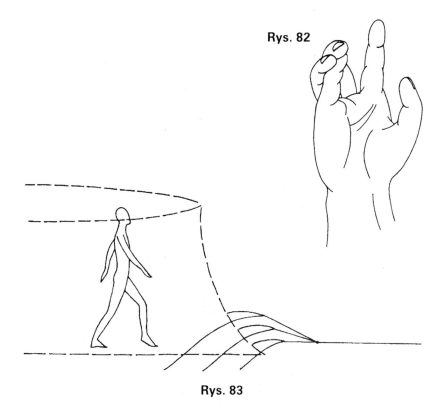

Rys. 82

Rys. 83

PRACA Z SOLĄ

Sól aktywnie pochłania i blokuje negatywną energię. Negatywna informacja jest bardziej aktywna, niż pozytywna, dlatego szybciej zagłębia się w wolną przestrzeń. Sól natomiast świetnie wchłania negatywy i likwiduje je u informacyjnego nosiciela.

Jeśli obok swojego miejsca pracy będziecie trzymać otwarte naczynie z solą, sól przeszkodzi negatywnej fali psychologicznej, która może wylewać się na was. Sól trzeba często wymieniać, ale przecież nie jest to trudne. Objętość soli w naczyniu powinna wynosić około dwustu gramów, co powinno wystarczyć na tydzień.

UNIWERSALNE WPŁYWY

Praca z obręczami
(pierścieniami z palców)

E nergetyczne działanie obręczy jest efektywne i przynosi szybki rezultat. Praca z obręczami jest łatwa, dlatego przystępna dla każdego. Obręcz jest jak uniwersalny kondensator – potrafi zebrać energię rozproszoną w przestrzeni, skupić ją i ścisnąć w wąski ukierunkowany strumień. Korzystając z obręczy, można go generować, wypełniać nim narządy wewnętrzne, przemywać energetyczne struktury oraz wykonywać inne lecznicze działania.

Z biegiem lat zgromadzono spore doświadczenie dotyczące zastosowania obręczy z różnych materiałów. Złoto na przykład wzmacnia kości i zwiększa odporność immunologiczną, srebro świetnie się sprawdza w pracy z ranami i głębokimi procesami zapalnymi. Stosuje się obręcze z różnych gatunków drzew, kamieni, metali, a nawet tkanin. Każdy materiał posiada szczególny ładunek i ma specyficzny wpływ na ciało i jego struktury.

Wciąż jednak głównym przyrządem koncentracji rozproszonej energii pozostaje obręcz z palców. Zawsze jest gotowa do pracy.

Sam proces uaktywnienia obręczy jest prosty. Połączcie opuszki kciuków i palców środkowych obu rąk, a następnie zaokrąglijcie je, aby otrzymać obręcz. Teraz dmuchnijcie do wnętrza obręczy, by poczuć, jak wietrzyk oddechu dotyka waszej skóry. Gdy przypomnicie sobie odczucie przepływu wietrzyka przez obręcz, powstanie ruch strumienia energii (**rys. 84**).

Nie tylko obręcz z palców może stać się energetycznym pogotowiem ratunkowym. W razie ogólnego spadku sił czy słabości można przed sobą połączyć ręce w obręcz i dmuchnąć w jej wewnętrzną przestrzeń. W ślad za podmuchem przez obręcz popłynie potężny strumień energii i wypełni struktury ciała.

Podobne działania są przydatne przy bólach kręgosłupa lub pleców. Ręce należy wtedy złączyć w obręcz z tyłu ciała. Jest to skuteczne, choć ułożenie rąk może wydać się niestandardowe. Gdy przez tylną obręcz popłynie strumień energii, trzeba wysiłkiem woli skierować go na kręgosłup lub w strefy bólu na plecach.

Całkiem efektywna jest mentalna praca z obręczami. Wyobraźmy sobie dużą obręcz energetyczną nad partnerem. Mentalnie przepuśćmy przez nią strumień energii. Taki sam strumień energii przelewa się na nas. Działa tu niepisane prawo mówiące: „Oddając, nie bój się, że zakłócisz harmonię osobistego świata. Wszystko wróci do ciebie powiększone stukrotnie, jeśli miałeś szczere intencje".

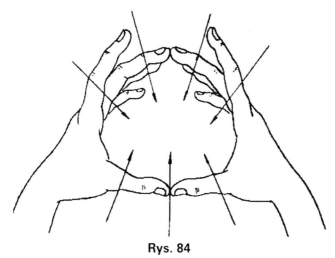

Rys. 84

Zamiana

Choroby nie mają wyłącznie podłoża fizjologicznego. Istnieje jeszcze coś – dolegliwości, które niszczą energetyczne związki, niszczą energetyczne matryce zdrowia fizycznego. To powszechnie znane uroki, klątwy, czary. Uroki i klątwy oraz inne magiczne nieprzyjemności oddziałują na człowieka niezależnie od tego, czy wierzy on w nie czy nie. Na szczęście wielu ludzi posiada energetyczny immunitet.

Oprócz tego każda choroba, której człowiek doświadczył, pozostawia swój informacyjny ślad. Im dłużej ktoś choruje, tym potężniejsze są wewnętrzne blokady energoinformacyjne. Gdy w biopolu otaczającym człowieka powstaje nisza, wypełni ją energetyczna informacja. I od tej informacji zależy rozwój człowieka, jego zdrowie i choroba.

Wyobraźcie sobie chorobę w postaci zgęstnienia energoinformacyjnego – skrzepu. Chwyćcie go dłońmi ułożonymi jak czerpak koparki, odwróćcie tułów (stopy pozostają w miejscu, jakby przyklejone do podłogi) i zrzućcie skrzep za plecy. Strząśnijcie go z rąk. Wyobraźcie sobie, że ten nieforemny skrzep wpada do dymiącej szczeliny wchodzącej w głąb ziemi. Mentalnie powtarzajcie przy tym kilkakrotnie:

Ziemio, otwórz się,
Ogniu, porusz i wzburz się,
Zabierz zło,
Oddaj radość!

Po zakończeniu tej czynności ustawiacie ręce po obu stronach głowy i koncentrujecie uwagę na odczuciach dłoni. Jeśli wszystko wykonaliście prawidłowo, wkrótce poczujecie świeżość obmywającą głowę – jakby nadlatywał lekki wietrzyk. To sygnał odbudowania programu zdrowia.

Syndrom UPS (Stały Stan Patologiczny) występuje podczas chorób, trwałych zaburzeń zdrowia. U jego podstaw leży strach przed chorobą. Człowiek intuicyjnie wyczuwa swoją słabość w obliczu choroby, nie potrafi skutecznie przeciwstawić się jej i poddaje się wewnętrznie. Taka psychologiczna kapitulacja uwalnia przestrzeń dla informacyjnych programów choroby. A z chwilą likwidacji UPS od wewnątrz odzyskujecie przestrzeń dla programów zdrowia. Trzeba utrwalić w sobie to odczucie świeżości zdrowia. Dłońmi utrzymujcie tę świeżość w głowie. Kiwając nią, wypełniajcie świeżością wewnętrzną przestrzeń w taki sposób, żeby głowa pozbyła się skrzepu UPS. Wasze wnętrze wypełniają: świeżość, czystość i kryształowo czyste myśli.

Rezultat zamiany UPS na świeżość początkowo jest niezauważalny. Tu do głosu dochodzi fizjologiczna inercja komórek i tkanek. Samopoczucie nie zmienia się nagle, lecz stopniowo. Tak jest lepiej, gdyż wszystkie płynne, stopniowe zmiany przyjmowane są przez organizm naturalnie, nie powodują głębokich stresów. Jednakże już w kilka godzin po neutralizacji lokalnych UPS poprawia się samopoczucie. Jeśli wcześniej skakało nam ciśnienie, teraz się stabilizuje, mijają bóle, mdłości, polepsza się ogólny stan psychiczny organizmu. Życie skrzy się radością, zapominamy o jego mrocznych stronach.

Psychochirurgia

P sychochirurgia – to umiejętność przenikania do przestrzeni wewnętrznej przez ochronne powłoki energetyczne całego ciała i oddzielnych narządów. Efektywność takich operacji jest wysoka. Dzięki nim można uleczyć wiele ciężkich chorób.

Jak operacja wygląda od strony technicznej? Wokół ciała, w odległości około pół metra istnieje szczególny rodzaj powłoki. Potrząśnijcie ręką (prawą lub lewą, w zależności od tego, która dominuje), jakbyście zrzucali z niej brud. Wyobraźcie sobie, że wyciekające z koniuszków palców promienie energetyczne łączą się w zwężające się ku dołowi ostrze energetyczne – promień (**rys. 85**).

W celu pierwszego rozcięcia rękę z energetycznym ostrzem ustawcie w odległości 30–40 centymetrów, prostopadle względem ciała. Wbijcie energetyczne ostrze w powłokę i wykonajcie rozcięcie od głowy. Potem znowu strząśnijcie ręce, zrzucając stare ostrze energetyczne.

Następny etap: rozcięcie powłok ciała. Rękę z nowym energetycznym ostrzem ustawcie w odległości 30–40 centymetrów, prostopadle względem ciała. Wyobraźcie sobie, że energetyczny skalpel przenika powłoki.

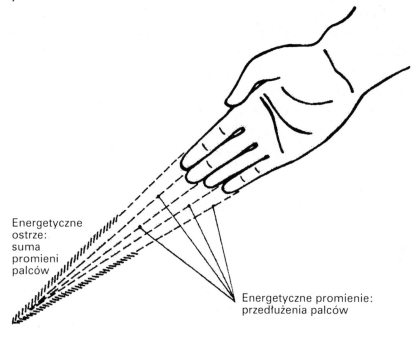

Energetyczne ostrze: suma promieni palców

Energetyczne promienie: przedłużenia palców

Rys. 85

Zatem **pierwsze rozcięcie** – to otwarcie powłoki energetycznej w odległości 30–40 cm od ciała. **Drugie** – rozcięcie powłok ciała, **trzecie** – rozcięcie konkretnego narządu w celu przeprowadzenia wewnętrznej korekty. Samodzielnie można przeprowadzać każdy zabieg chirurgiczny, oprócz manipulacji na plecach i kręgosłupie – tam ręce już nie sięgną...

Powłoki ciała są już otwarte, teraz można zanurzyć energetyczne palce – promienie w chorym narządzie. Określcie, jaki on jest; zimny, ciepły, suchy, zaśluzowany itd. Przeniknięcie do wnętrza chorego narządu pokaże brak równowagi w jego komórkach. Trudno jest takie odczucie opisać słowami, trzeba kierować się uczuciami. Ognisko choroby przejawia się w postaci ciemnego, zbitego skrzepu. Zaczepcie o jego korzonek i wyrwijcie skrzep. Po likwidacji negatywów narząd zacznie się regenerować, resztki choroby stopniowo zanikną.

Podczas kontaktu z ogniskiem choroby może powstać odczucie gorąca, duszności, kłucia, albo – odwrotnie – można doświadczyć uczucia chłodu, wilgoci, gnuśności. W miejsce, które odkryliście energetycznym skalpelem, trzeba dodać „Światło Słońca" lub „Sok Ziemi".

Dobrze spisuje się tu obręcz z palców. Ustawiwszy ją nad „energetycznym cięciem", skierujcie strumień energii do wnętrza lub wyciągnijcie nadmiar negatywu z chorego miejsca.

Za pomocą psychochirurgii można poprawiać samopoczucie, usuwać bóle brzucha, stawów, gardła – jednym słowem w każdym miejscu, w którym czujemy dyskomfort.

Szczególnie skuteczne jest samodzielne otwarcie powłok brzusznych i wypełnienie ich energią za pomocą obręczy z palców. To działanie odbudowuje równowagę energetyczną organizmu, poprawia pracę narządów jamy brzusznej itp.

Interwencje psychochirurgiczne można przeprowadzać praktycznie na każdym narządzie oprócz serca. Mentalne rozcięcie może być duże – od głowy do wzgórka łonowego lub małe – kilkucentymetrowe.

Gdy palce – promienie wchodzą do dużego chorego narządu, powstaje wrażenie, że od niego gdzieś w bok odchodzi korzonek bólu. Należy uchwycić go mentalnymi palcami – promieniami, rozetrzeć lub wyciągnąć i spalić w mentalnym ogniu. W praktyce psychochirurgii można stosować optymalizację wewnętrznego rytmu. To skuteczny sposób. Po rozkrojeniu energetycznych tkanek przenikacie do źródła bólu, porównujecie rytm pulsowania odcinka z pulsowaniem serca i jeśli nie są one zbieżne, zestrajacie je. Otrzymujemy optymalizację rytmu umożliwiającą skuteczną pomoc w walce z zakrzepami (trombozą), zgęszczeniami, zgrubieniami itd.

Obłok i jego struktury

Każdego człowieka otacza obłok energoinformacyjny. Jest w nim skoncentrowana negatywna energia mogąca powodować niemoc i choroby. W wykryciu i poczuciu obłoku pomoże pewna metoda. Wyobraźcie sobie, że przestrzeń wokół ciała jest wypełniona czymś gęstym, zwartym, gęściejszym od powietrza, np. wodą. Ręce zgięte w łokciach lekko dotykają boków, nadgarstki podniesione palcami ku górze prostopadle do podłoża, dłonie skierowane od siebie. Zaczynamy powoli przemieszczać się przez „gęste środowisko" w kierunku od siebie, skupiamy uwagę na odczuciach dłoni i zapamiętujemy je. W miarę ruchu w dłoniach i na przedramionach będzie powstawać wrażenie pokonywania niewidocznej, sprężystej granicy. Obecne odczucie będzie przypominać to, czego doświadczyliśmy, formując energetyczną kulę między dłońmi, przy poznaniu osobistego biopola.

Gdy odczucia sprężystych granic będą wyraźnie zauważalne, określimy specyficzną powłokę „diagnostyczną". Przyciśnijcie dłonie tylną stroną do ciała i powoli je odsuwajcie. W bezpośredniej bliskości ciała ręce pokonają granicę pierwszej powłoki. W odległości około pół metra od ciała poczujecie „diagnostyczną" powłokę. Zacznijcie ją gładzić, przesuwając dłońmi w górę i w dół. Ręce ślizgają się po siłowych liniach, mijają niewidoczne wgłębienia i wypukłości. Powstają odczucia chropowatości oraz pustki. Są to sygnały skrzepów dyskomfortu, które odpowiadają zmianom – zaburzeniom chorobowym w narządach i układach ciała (**rys. 86**).

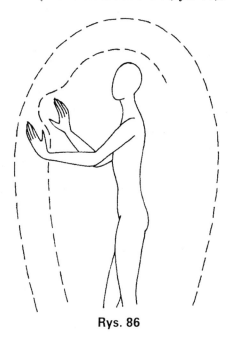

Rys. 86

Miejsce każdej rzeczy

Wewnątrz przestrzeni przylegającej do ciała jest wiele struktur mających znaczenie pozytywne i negatywne. Negatywne struktury – to energoinformacyjne skrzepy będące zewnętrznymi projekcjami wewnętrznych zmian chorobowych. Jednakże zdarza się, że energoinformacyjny skrzep jest strukturą znajdującą się nie na swoim miejscu. Trudno o pomyłkę, ponieważ działające struktury obłoku są praktycznie niezauważalne dla człowieka, a wyczuwalny jest tylko skrzep energoinformacyjny lub energetyczny węzeł nie na swoim miejscu.

Przesuwamy dłońmi wzdłuż granicy powłoki i odczuwamy strefy zakłóceń energetycznych. Odbierane są przez nas jako wypukłości lub zagłębienia. Mentalnie przeprowadzimy linię biegnącą od strefy dyskomfortu w powłoce do ciała. Dzięki projekcji skrzepu na ciało zrozumiemy, jakie narządy i układy stały się przyczyną zakłóceń.

Następnie przesuwamy rękę od strefy energetycznego zakłócenia powłoki do ciała, aż znajdujemy tam bezkształtny, nieforemny skrzep. Dotknięcie skrzepu energoinformacyjnego to delikatne, subtelne odczucie, dlatego ważna jest koncentracja uwagi na odczuciach dłoni. Po kilku powtórzeniach stopniowo nauczymy się odczuwać subtelne wrażenia dotykowe, wyraźnie i bezbłędnie określać skrzepy energoinformacyjne.

Określiliśmy miejsce skrzepu w przestrzeni obok ciała. Prawą ręką dotknijmy go, a lewą poprowadźmy w przestrzeni od niego. Ręka jest rozluźniona, wykonuje nieoczekiwane zygzaki, to wraca, to znów się oddala. Wreszcie zatrzymuje się na punkcie, z którego przemieścił się skrzep.

Na przykład prawa ręka dotyka skrzepu, a lewa szuka jego miejsca w przestrzeni przy ciele. Lewą rozluźnioną ręką dotknijmy skrzepu i mentalnie sformułujmy zadanie: „Chcę znaleźć miejsce, gdzie był poprzednio". Ręka, jakby sama z siebie, przesunie się do punktu, z którego przesunęła się struktura energoinformacyjna.

Gdy namacamy skrzep oraz miejsce, w którym powinien się znajdować, zaczynamy przemieszczenie. Dwiema rękami podtrzymujemy skrzep od dołu (koncentrujemy uwagę na subtelnych odczuciach dłoni) i jak gdyby wyrywamy go z gniazda – podobnie jak rzepkę z ziemi.

Logicznie byłoby przypuszczać, że skrzep można przenieść z miejsca na miejsce najkrótszą drogą – na wprost. Takie przypuszczenie może okazać się jednak błędne. Powinien on przemieszczać się wewnątrz przestrzeni wokół ciała po szczególnej, bardzo wymyślnej i tylko jemu znanej trajektorii. Żeby tak się stało, wystarczy podtrzymywać go rękami i podążać tą drogą, po której on sam będzie się poruszał. Dla postronnych obserwatorów może to dziwnie wyglądać, gdyż ręce kreślą jakieś poplątane kręgi. Ale rezultat takich działań będzie wspaniały – powróci dobry nastrój!

Gdy skrzep osiąga swoje miejsce, w dłoniach pojawia się pulsowanie. Kołyszemy nim tam i z powrotem. W pewnym momencie pojawia się odczucie, że skrzep z pstryknięciem wszedł na swoje miejsce. Gdy znajdzie się na właściwym miejscu, przekształca się z oddzielnej struktury energetycznej w nieodczuwalne, działające ogniwo jednolitego łańcucha struktur energoinformacyjnych (rys. 87).

Po jakimś czasie od tej chwili nastąpi poprawa samopoczucia, uczucie dyskomfortu stopniowo zniknie.

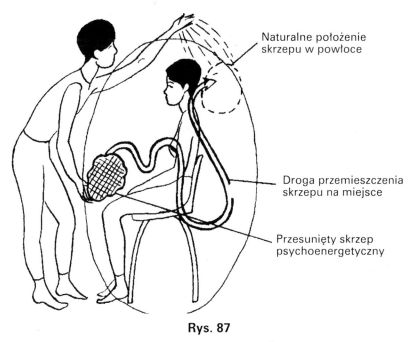

Naturalne położenie
skrzepu w powłoce

Droga przemieszczenia
skrzepu na miejsce

Przesunięty skrzep
psychoenergetyczny

Rys. 87

195

Praca z chlebem

C hleb – to produkt stale obecny w naszym życiu. I właśnie dlatego nie przywiązujemy do niego większej wagi. Chleb jest wypiekany z mąki powstałej po zmieleniu ziarna. W ziarnie tkwi tajemnicza energia życia. Niestety, ludzie nie zastanawiają się nad energetycznymi możliwościami zwykłego produktu. A chleb można wykorzystać, stosując metody samopomocy oraz pomagając bliskim. Żeby poczuć niezwykłe właściwości chleba, można przeprowadzić eksperyment. Z jednej strony bochenka chleba trzeba odkroić jego kawałek, a z drugiej – taki kawałek należy odłamać. Skosztujcie teraz oba kawałki – w smaku różnią się od siebie.

Powąchajcie je – subtelnie, delikatnie – i zauważcie różnicę. Kawałki: odkrojony i odłamany różnią się także zapachem.

Nie warto kroić chleba, ponieważ energia płynąca z ostrza noża rozrywa subtelne związki wewnątrz produktu. Jednak większość ludzi przywykła kroić chleb. Nie odkrawajcie zatem kromki do końca, odrywajcie ją od bochenka. Oderwany kawałek zachowuje energetyczne właściwości całego bochenka.

W celu wykorzystania uzdrawiającego potencjału chleba powinno się choć raz dziennie zjadać jego oderwany kawałek. Trzeba go żuć długo i dokładnie, skupiając uwagę na odczuciach języka i podniebienia. Umożliwi to przyjęcie siły chleba, maksymalne jej wykorzystanie.

Na wpół przeżutym chlebem można zlikwidować ból gardła. Przepuśćcie do ogniska bólu lepką, kleistą masę. W tym celu utrzymajcie ją w gardle. Otoczy ona chore miejsce i zniszczy energię bólu. Nie oczekujcie natychmiastowej poprawy, przecież nawet antybiotyk nie działa natychmiast. Dla wzmocnienia efektu terapeutycznego na wpół przeżuty chleb można wykorzystać do kompresów. Rozmiękczoną i nasączoną śliną masę chlebową trzeba zawinąć w gazę i przyłożyć na chore miejsce w postaci zewnętrznego okładu.

Można także na rozmiękczony śliną chleb kapnąć kilka kropel wody utlenionej i przyłożyć kompres na chore miejsce.

W celu aktywizowania leczniczej siły bochenka chleba trzeba położyć go na drewnianej desce (może być to np. dekoracyjny talerz). Na górze bochenka natnijcie ostrzem noża krzyż, a następnie dziesięć – piętnaście razy zakręćcie deskę z chlebem zgodnie z ruchem wskazówek zegara (tzw. ruchem wg Słońca).

Teraz nożem trzeba nacinać łuki łączące końce krzyża. Otrzymujemy koło (rys. 88).

Wbijcie nóż do chleba pod kątem w taki sposób, żeby po zakończeniu wycięcia można było wyciągnąć cztery kawałki chleba. Można przyłożyć je do chorych miejsc – poczujecie, jak chleb wyciąga ból. Jeśli jeden z kawałków umieścimy na siódmym kręgu szyjnym, drugi – na środku kręgosłupa (punkt projekcji splotu słonecznego), a trzeci – na środku krzyża, między nimi powstanie energetyczny związek i kręgosłup zacznie się rozgrzewać.

Po zebraniu z bochenka chleba jego wyciętych kawałków w chlebie pozostanie lejkowate wgłębienie. Można przez nie oddychać. Jeśli np. w nosogardzieli zaczynają się objawy nieżytu nosa (katar, kaszel, pieczenie w gardle), lejkowate wgłębienie w chlebie należy podnieść do ust i nosa, i oddychać przez chleb. Poprawa następuje prawie natychmiast. Częste powtarzanie takiej czynności zapobiegnie problemom.

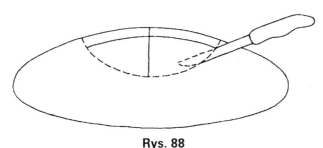

Rys. 88

Przekręćcie chleb spodem do góry i zróbcie takie samo okrągłe nacięcie, jakie było na jego wierzchu. Otrzymamy otwór i chleb zmieni się w obwarzanek. Jeśli dokucza ból głowy, skoki ciśnienia czy występują inne problemy z układem krążenia, można nałożyć obwarzanek na głowę i posiedzieć w stanie rozluźnienia. Postronnemu obserwatorowi może wydać się to dziwne: siedzi sobie człowiek z obwarzankiem na głowie. Jednak takie samooddziaływanie umożliwia likwidację nieprzyjemnych stanów i działa nie gorzej niż lekarstwa. I rzecz jasna nie ma skutków ubocznych (**rys. 89**).

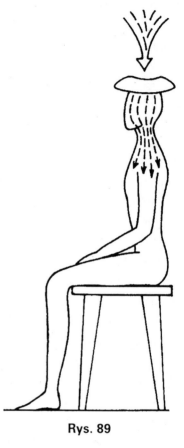

Chlebowy obwarzanek wpływa także dobroczynnie na inne narządy. Jeśli gdzieś w ciele poczujecie ból lub dyskomfort, ułóżcie chlebową obręcz nad tym miejscem. Poczujecie delikatny prąd energii sączącej się przez wewnętrzną przestrzeń obręczy. Stopniowo objawy chorobowe odejdą, a wewnątrz powstanie przyjemne ciepło.

Rys. 89

Chlebowa obręcz po wysuszeniu może służyć jeszcze kilka tygodni, a nawet miesięcy. Wykorzystane kawałki chleba najlepiej oddać ptakom. Nie wolno ich jeść.

SAMODOSKONALENIE W SFERZE KOSMETYKI

Cena spotów reklamowych

W szechobecna reklama przekonuje o tym, jak to kolejny zagraniczny cudowny krem w ciągu tygodnia może zmienić wygląd naszej skóry, sprawiając, że stanie się gładka, pozbawiona zmarszczek itp. Reklamowane kremy prezentują młodziutkie dziewczyny, którym rzecz jasna żadne kosmetyczne sztuczki nie są potrzebne, lub dojrzałe kobiety po kolejnych operacjach plastycznych.

Zwyczajni, szeregowi konsumenci dobrze znają cenę takich spotów reklamowych. Kremy często w ogóle nie działają, zdarza się nawet, że powodują silną alergię. Jednakże młodość chciałoby się zatrzymać, i to nie tylko w duszy, ale także na twarzy. Jak to osiągnąć? Istnieją skuteczne metody odmładzania skóry. Ważne jest, by korzystać z nich systematycznie. Nie od przypadku do przypadku, lecz stale. Pożądany efekt nadejdzie – co do tego nie ma najmniejszych wątpliwości. Jak metoda odmładzania wygląda w praktyce? Wytwórzcie strumień energii między dłońmi ułożonymi w kształcie czerpaka, a energia biopola wypełni przestrzeń między nimi. Unieście ku twarzy czerpak z dłoni i umyjcie się – energią biopola, nie wodą. To ćwiczenie sprzyja aktywizacji bioenergetycznego potencjału i dodatkowo rozdziela energię wewnątrz organizmu. Energetyczne przemywanie wzmacnia wewnętrzne struktury skóry twarzy, aby mogła dłużej pozostać świeża i czysta.

Na twarzy znajdują się receptory wszystkich narządów i układów ciała. Mycie energetyczne działa na nie uzdrawiająco. Oczywiście nic nie osiągniemy stosując jednorazową procedurę, ale regularne samooddziaływanie może nie tylko zregenerować skórę, będzie też miało dobroczynny wpływ na ogólne samopoczucie.

Wygładzanie zmarszczek

E fekt kosmetyczny polega na tym, żeby poczuć „strunę wewnętrznego napięcia". To filar – słup hormonalny. Należy wypełnić „strunę" odczuciami lekkości i wewnętrznej harmonii. A potem trzeba wyobrazić sobie u podstawy czaszki migotliwy balonik wciągający w siebie zmarszczki i problemy skóry. Wypełnienie słupa hormonalnego pomaga przestroić pracę organizmu na młodość, a migoczący balonik likwiduje problemy starzenia się.

Świeżość twarzy

W punkcie między brwiami leży tzw. „trzecie oko", centrum napięcia, wyłącznik płatów czołowych mózgu... Jednym słowem, punkt ten spełnia wiele różnych funkcji. Wśród nich jest także miejsce na aktywne kosmetyczne oddziaływanie.

Opuszki trzech palców (wskazującego, środkowego i serdecznego) prawej ręki ustawcie w punkcie między brwiami. Teraz miękko, prawie nie przesuwając skóry, zacznijcie masować ją okrężnymi ruchami zgodnie z ruchem wskazówek zegara. Trzy palce lewej ręki (także wskazujący, środkowy i serdeczny) przyłóżcie do potylicy, w miejsce symetryczne w stosunku do punktu między brwiami. W taki sam sposób, powoli i płynnie, masujcie skórę okrężnymi ruchami.

Oba ruchy palców – na potylicy i między brwiami – powinny być synchroniczne.

Masaż punktów rozluźnia struktury wewnętrzne głowy i powoduje powstanie rozproszonego ciepła. Wyobraźcie sobie, że ciepło gęstnieje i zbija się w kulę. Kula ciepła staje się zwarta. Teraz mentalnie (lub realnie) klaśnijcie w dłonie. Wibracje klaśnięcia rozrywają wewnątrz głowy otoczkę kuli. Ciepło i energia płynące z kuli rozlewają się po twarzy. Wydaje się, że skórę twarzy od wewnątrz kłują miriady igiełek. Skóra wypełnia się ciepłem i świeżością. Spójrzcie na siebie w lustrze – zobaczycie, jak błyszczą wasze oczy. Regularne ćwiczenia pomogą zlikwidować zmarszczki, oczyścić skórę ze skoncentrowanych w niej energetycznych zanieczyszczeń, utrwalą komórkowy program świeżości skóry lub reanimują go w komórkach więdnącej obwisłej skóry (**rys. 90**).

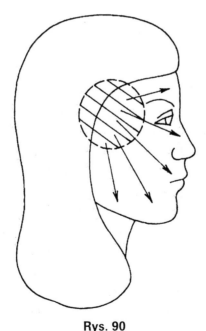

Rys. 90

201

Wietrzenie ust

Ani jeden odświeżacz oddechu spośród istniejących obecnie na rynku nie likwiduje całkowicie nieprzyjemnego zapachu płynącego z ust. Guma do żucia tylko na krótko go osłabia. Ten nieprzyjemny zapach powodują bakterie gnilne rozkładające resztki pożywienia. Źródłem nieprzyjemnego zapachu może także być próchnica zębów, chore: żołądek, jelito czy wątroba. Na śluzówce nosogardzieli często żyją kolonie gronkowców, które także mogą być powodem ciężkiego, brzydkiego zapachu z ust.

Oczywiście jeśli zapach jest wynikiem choroby, należy rozpoznać ją i wyleczyć. Co zrobić z zapachem utrudniającym na co dzień komunikację? Może przecież stać się przyczyną kompleksów.

Nasi przodkowie taki dokuczliwy zapach płynący z ust wiązali z zastojami i opracowali metodę walki z nim. Osobiście uważam, że dotąd nic sensowniejszego nie wymyślono. Metoda jest prosta – to wietrzenie ust.

Gdybyśmy zamknęli dokładnie wysprzątane pomieszczenie, czyste i lśniące, na kilka dni, to wkrótce pojawiłby się w nim nieprzyjemny zapach. Żeby go zlikwidować, pokój należałoby wywietrzyć. Nasze usta też są takim pomieszczeniem, w którym zachodzi mnóstwo metabolicznych procesów reakcji rozkładu, gnicia i rozpadu. Ślina mająca zapewniać bakteryjną czystość w jamie ustnej nie jest w stanie poradzić sobie ze swym zadaniem, ponieważ jej enzymy nie potrafią pokonać szkodliwej mikroflory śluzówki. Stopniowo ślina sama staje się siedliskiem choroby. Trzeba obmyć dziąsła i język, zlikwidować nagromadzone produkty bakterii. W tym celu należy przyśpieszyć produkcję świeżej śliny.

U stomatologa pacjent długo siedzi z otwartą buzią, śluzówka zasycha, a gdy zamyka usta, gruczoły śluzowe zaczynają pracować szybciej. Wydzielanie śliny ulega zwiększeniu, nasilają się jej bakteriobójcze właściwości, odświeża się jama ustna. Na tym właśnie polega sukces pradawnej praktyki. Potrzymajcie usta otwarte aż do wysychania śluzówki. Na początku poczujecie nieprzyjemną szorstkość języka, suchość dziąseł. Wkrótce usta wypełni świeża ślina i pojawi się naturalna świeżość. Dzięki wietrzeniu ust każdego dnia, trzy – cztery razy dziennie przez kilka minut, ciężki, nieprzyjemny zapach zniknie już po tygodniu. Pozostanie tylko naturalne tło zapachowe. Ta metoda może przynieść ulgę w przebiegu poważnych chorób...

Punkty na krzyżu

U mężczyzn odczucia ciężkości w narządach płciowych i kroczu są symptomem zjawisk zastoju w genitaliach. Przyczyny tego mogą być różne: brak biegłości w kontaktach płciowych, choroby o podłożu infekcyjnym, mało ruchliwy tryb życia itp. Należy pozbyć się zastojów w miednicy małej. Trudno to osiągnąć wyłącznie za pomocą lekarstw czy ćwiczeń. Dobry rezultat przynosi połączenie tradycyjnych oddziaływań z metodami psychoenergetycznymi. Każdy zastój – to przede wszystkim nadmiar energii w lokalnym odcinku. Należy ją ponownie rozprowadzić.

Siądźcie prosto, opuszki środkowych palców przyłóżcie do punktów położonych po obu stronach początku fałdy pośladkowej. Ogrzejcie je ciepłem palców i powoli, płynnym ruchem przyciśnijcie. Nacisk powinien być miękki. Wkrótce odczujecie ciepło napływające do nerek i wypełniające je. Przyciskajcie palce do punktów tak długo, aż poczujecie, że nerki nadymają się niczym balonik.

Przenieście palce do góry na szerokość dłoni od początku fałdy pośladkowej. Tam mieści się kolejna para punktów ponownego rozdziału energetycznego. Jak ją znaleźć? W górę od pierwszych punktów – na szerokość dłoni. Od pionowej środkowej linii kręgosłupa

– na szerokość dwóch palców. Punkty są położone symetrycznie i leżą po obu stronach linii środkowej. Połóżcie na nich opuszki środkowych palców i ogrzejcie punkty. Podczas oddziaływania na pierwszą grupę punktów wypełnialiście ciepłem nerki, teraz pojawia się odczucie, że ciepło płynące z przyciśniętych palców (i energia) przechodzi przez nadnercza i wypełnia przestrzeń w piersi. Strumień ogrzewa klatkę piersiową, odżywia serce i płuca.

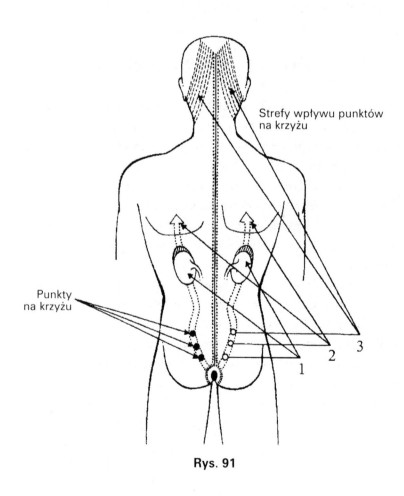

Rys. 91

Trzecia grupa punktów na krzyżu leży na linii połączenia kręgosłupa i kości miednicy. Na szerokości trzech palców (wskazującego, środkowego i serdecznego) w obie strony od środka kręgosłupa położone są górne punkty wpływu na wewnętrzną energię. Też należy je ogrzać opuszkami środkowych palców. Gdy lekko je naciśniecie, poczujecie, jak ciepło i energia płyną po bokach szyi i wypełniają potylicę. Potrzymajcie ręce na punktach do odczucia wypełnienia ciepłem potylicy **(rys. 91)**.

Potem miękkimi, okrężnymi ruchami środkowym palcem prawej ręki pomasujcie kość ogonową. Środkowym palcem lewej ręki lekko naciśnijcie punkt u podstawy członka, na dole, koło moszny. Energia od potylicy popłynie na dół, wzdłuż kręgosłupa.

Włosy

Czasami człowiek staje się swego rodzaju magnesem przyciągającym negatywne informacje i energię. Sprawa nie polega na jakichś mistycznych machinacjach, ale na tym psychologicznym nastawieniu, które tkwi w większości współczesnych ludzi. Jest ono głównie negatywne. Większość ludzi oczekuje nieprzyjemności i w ten sposób otwiera im furtkę. Jednakże negatywne nastawienie nie powstaje w wyniku osobistego smutku, powodem są przyczyny zewnętrzne, często niezależące od człowieka. Święte teksty mówią o konieczności życia w radości i wewnętrznej harmonii. Niestety, dla wielu to nieosiągalne marzenie.

Ćwiczenie, które proponuję, pewnie nie napełni was stałą, trwałą harmonią, ale pomoże złagodzić ostrość negatywnego informacyjnego ciśnienia, polepszy wasz stan i odświeży percepcję.

Włosy – to swoiste anteny, na których osiada mnóstwo negatywnej energii i informacji, które gromadząc się, przytłaczają człowieka. Przyczyn tego należy upatrywać w jakichś nieprzyjemnych zdarzeniach czy sytuacjach, które „mamy na głowie". Szczególnie dużo negatywów osiada na długich włosach.

Cóż zatem robić, czyżby najlepszym wyjściem było ostrzyżenie się na zero? Niektórym może się to spodobać, ja jednak zaproponuję wariant oszczędzający. Żeby zdjąć z włosów negatywny potencjał energetyczny, należy je oczyścić. Zabiegi higieniczne zmywają fizjologiczny brud, przechwytując przy tym niewielką ilość brudu informacyjnego. Wielu ludzi zauważyło, że po umyciu głowy jest im lżej na duszy, a świat postrzegają wyraźniej... Oczyszczenie umożliwi pozbycie się informacyjnego obciążenia, a zastosowanie tego sposobu codziennie po pracy uwolni od negatywnych reakcji i przeżyć.

Jeśli mieszkacie w mieście, odkręćcie zimną wodę, nachylcie się nad wanną i prowadźcie palce od potylicy do czubka głowy. Rozcapierzonymi palcami ręki rozczesujecie włosy i zdejmujecie z nich nagromadzony negatywny potencjał. Palce grają rolę magnesów zdejmujących z włosów negatywny ładunek. Po każdym rozczesującym ruchu we włosach strząsajcie z rąk niewidzialny brud w strugę zimnej wody. Nie należy przy tym moczyć rąk. Jedno lub dwa powtórzenia przyniosą krótkotrwały efekt. Jeśli jednak będziemy stosować ten zabieg regularnie, w ciągu kilku dni będzie można zauważyć, że zniknęła ciężkość głowy, poprawiła się zdolność do pracy, polepszyło się ogólne samopoczucie. Polepszy się również koncentracja i będzie można w pełni skupić się na określonych sprawach.

Jeśli mieszkacie w domu bez wygód, tę samą procedurę można wypełnić w innym wariancie. Do miski nalewamy zimnej wody i pochylamy się nad nią. Zaczynamy rozczesywać palcami włosy i zrzucać negatywny ładunek do miski z wodą. Potem wodę należy wylać gdzieś dalej od domu.

Ten zabieg trwa zazwyczaj 5–7 minut. Tyle czasu wystarczy na oczyszczenie włosów z nagromadzonych wcześniej negatywów.

ZAKOŃCZENIE

B yć może tytuł książki „U źródeł zdrowia" u wielu potencjalnych Czytelników spowoduje taką asocjację: przejrzę książkę, opanuję kilka metod i będę zdrów. Nie jest to jednak takie proste. W książce opisano różne sposoby i metody sprzyjające szybkiej odbudowie dobrego samopoczucia. Jednakże „U źródeł zdrowia" nie jest samouczkiem zdrowia. Książka to pomocnik, do którego możemy się zwrócić w trudnych sytuacjach. Ale pomoc w odbudowie zdrowia nie stanowi celu samego w sobie. Mam nadzieję, że opisane przeze mnie metody okażą się – dla zainteresowanych – wstępem do osobistego rozwoju i osiągnięcia doskonałości. Możemy kierować swoim zdrowiem, być w dobrym nastroju i postrzegać życie nie jako pole ciągłej walki o przetrwanie, ale jako przestrzeń dla osobistej twórczości. Życie dane jest po to, by się rozwijać, a nie wegetować w zatroskaniu. Zrozumienie tego przyjdzie, ale nie nagle, nie od razu.

Ktoś z Czytelników wykorzysta opisane w książce metody wyłącznie do odnowy własnego zdrowia. Wspaniale – każdy może i powinien być zdrowy i aktywny do późnej starości. Ktoś inny natomiast, zapoznawszy się z tą książką zrozumie, że może przeniknąć w głąb swojego wewnętrznego świata, znaleźć przyczynę życiowych problemów, zlikwidować je i osiągnąć szczyty osobistego rozwoju.

Wierzę, że zarówno w pierwszym, jak i w drugim przypadku książka spełni swe zadanie – okaże się pomocna dla Czytelników. Samo przeczytanie „U źródeł zdrowia" nie poprawi jednak zdrowia.

Uzyskanie dobrego samopoczucia, nastawienia, utrzymywanie siebie w dobrej kondycji, w dobrym stanie – to praca! Praca bez dni wolnych, bez świąt i wakacji – przecież choroby ich nie uznają. Mogą wedrzeć się do naszego życia w najbardziej nieodpowiedniej chwili. Wtedy staniemy przed problemem: dać się wodzić za nos chorobie, czy walczyć z nią i zwyciężyć! Wzywam Czytelników do bezkompromisowej walki o swoje zdrowie, szczęście, radość i słoneczny nastrój! To będzie główna nagroda dla tych, którzy potrafią pokonać bezwład, brak chęci do działania i kreować swoje zdrowie...

Życzę Wam, drodzy Czytelnicy, aktywności i długich lat życia, wspaniałego samopoczucia i radości – zawsze i we wszystkim!

Wydawnictwo KOS
40-110 Katowice, ul. Agnieszki 13
Tel./fax (32) 2584-045; tel. (32) 2582-648, (32) 2582-720
e-mail: kos@kos.com.pl   http://www.kos.com.pl

Zamówienia przyjmujemy pocztą, telefonicznie i przez Internet

Marcel Messing
WWW: Czy się przebudzimy?

Ostatnie badania dotyczące faktycznego przebiegu zdarzeń 11 września 2001 roku potwierdziły przypuszczenia wielu ludzi, że na świecie dzieje się więcej, niż to, o czym informują nas politycy i media. Coraz częściej jesteśmy konfrontowani z wiadomościami, które nie tylko zasłaniają prawdę, lecz również sieją strach przed „wojną z terroryzmem". Dla naszego „bezpieczeństwa" tworzy się inteligentne technologie umożliwiające kontrolowanie całego naszego prywatnego życia. Myślenie katastroficzne? Teorie spiskowe? Fantastyka naukowa? Szokujące fakty ukazują ukryte za kulisami światowych wydarzeń mechanizmy, którym możemy się przeciwstawić, odwołując się do poznania, wiedzy i miłości. Ujawniająca szereg tajemnic i dobrze udokumentowana książka, w której przedstawiono również pozytywne i praktyczne wskazówki na ten czas przemian.

Grażyna Fosar, Franz Bludorf
Czarodziejski śpiew

Grażyna Fosar i Franz Bludorf w swoich badaniach zajmują się m.in. wpływem fal elektromagnetycznych na środowisko naturalne, w szczególności biosferę.

W tej książce autorzy starają się znaleźć odpowiedzi na wiele fascynujących pytań:
- Czy eksperymenty są przyczyną zmian klimatu?
- Patent na manipulowanie pogodą?
- „Raport mniejszości" – już rzeczywistość?
- Kontrola umysłu?
- Jak zniknęły całe narody?

Nikołaj Szerstiennikow
Białe tango sukcesu

Czy można osiągnąć sukces, wykorzystując swoje wewnętrzne możliwości? Takie pytanie stawia przed Czytelnikami psycholog Nikołaj Szerstiennikow i przekonująco odpowiada: „Tak, można". W wielu przypadkach to my sami programujemy swój los, tworzymy różne scenariusze życiowe. Książka opowiada o konkretnych metodach i środkach wewnętrznego uwolnienia się, o tym, w jaki sposób zmienić negatywne nieświadome programy oraz stworzyć w sobie potężną siłę potrzebną do osiągnięcia sukcesu. Nie ma w niej magii czy tajemnych obrzędów, amuletów i rytuałów. Wszystko opiera się na wykorzystaniu możliwości psychiki. Metody i sposoby opisane w książce są dostępne i efektywne, sprawdzone doświadczeniem setek ludzi podczas specjalnych treningów i w realnym życiu.

L. Puczko
Medycyna wielowymiarowa

Medycyna wielowymiarowa to połączenie wiedzy medycyny zachodniej i wschodniej, starożytnej oraz współczesnej wiedzy ezoterycznej, a także doświadczenia gnostycznego wszystkich podstawowych religii świata. Daje ona możliwość opisania w sposób systemowy wielowymiarowej struktury człowieka, składającej się z siedmiu ciał – fizycznego i sześciowarstwowego szkieletu energetycznego, otaczającego ciało fizyczne. Właśnie w tym szkielecie energetycznym znajdują się głębokie przyczyny (obce wibracje) większości chorób przewlekłych, których likwidacja daje efekt natychmiastowego uzdrawiania. Ta wiedza była zaszyfrowana w pracach wtajemniczonych, stanowiła podstawę technik magicznych Wschodu i praktyk modlitewnych klasztorów i kościołów Zachodu.

Marjan Ogorevc
Samoleczenie metodą diagnostyki karmicznej

Trudno byłoby za pomocą leków usunąć wszystkie obrazy, zniewagi, gniew, czy przepędzić lęki. W książce zostały opisane techniki i sposoby stanowiące swego rodzaju skróty, za pomocą których możemy dotrzeć do samych siebie. Autor pomaga nam i pokazuje, jak je odnaleźć. Przeszkody na drodze poznania samego siebie są po to, aby je pokonać i czegoś się nauczyć. A ból jest zazwyczaj symptomem niezadowolenia ciała ze stanu, w jakim znajduje się człowiek lub zmian, jakie w nim zachodzą. Pracując nad sobą w końcu udaje nam się zauważyć, że staliśmy się innymi ludźmi, że jesteśmy tacy, jak o to zabiegaliśmy i staraliśmy się przez całe życie. Jestem inny, jestem kochany i szanowany – i wciąż jestem sobą, to JA.

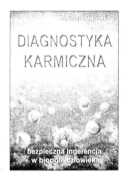

Marjan Ogorevc
Diagnostyka karmiczna

Diagnostyka karmiczna nie jest znaną ani rozpowszechnioną w świecie metodą diagnozowania i leczenia, gdyż wymaga od stosującego ją terapeuty specjalnych zdolności wchodzenia w energetyczno-informacyjne pole człowieka. To, co wiąże się z taką ingerencją, co wówczas dzieje się w nas i naszym biopolu, jakie niesie niebezpieczeństwa i skutki zarówno dla terapeuty, jak i pacjenta, stanowi treść i przesłanie niniejszej książki. Kiedy ukazała się po raz pierwszy na rynku czytelniczym (w Słowenii) przed czterema laty była wydarzeniem rewolucyjnym. Spowodowała zmianę sposobu myślenia, rozumienia oraz podejścia do własnego zdrowia i leczenia wśród wielu czytelników. Drugie wydanie zostało uzupełnione o nowe doświadczenia autora oraz prze-świadczenie, że diagnostyka karmiczna nie jest już czymś nieznanym.